KB178210

하루에 하나씩
읽는 민법조문
물권(II)

하루에 하나씩 읽는 민법조문 물권(II)

초판 _ 2024년 3월 2일

지은이 _ 김민석

디자인 _ **enbergen3@gmail.com**

펴낸이 _ 한건희

펴낸곳 _ 부크크

출판등록 _ 2014.07.15.(제2014-16호)

주소 _ 서울특별시 금천구 가산디지털1로 119 SK트윈타워 A동 305호

전화 _ 1670-8316

이메일 _ **info@bookk.co.kr**

홈페이지 _ **www.bookk.co.kr**

ISBN _ 979-11-410-7378-7

값은 표지에 있습니다.

하루에 하나씩 읽는 민법조문 물권(Ⅱ)

Contents

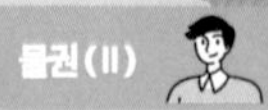

Intro

머리말

청룡의 해가 밝았습니다.
지난해 「하루에 하나씩 읽는 민법조문」 민법총칙 편의 개정판을 작업한데 이어 올해 물권편도 개정판을 내게 되었습니다.
이번 개정판에서는 그간 아쉬웠던 부분들을 보강하고자 신경썼습니다. 먼저 가독성을 높이기 위해 원고를 대폭 편집했습니다. 디자인도 보다 깔끔하게 변경하였습니다. 불필요하다고 생각되는 설명은 삭제하였습니다. 반면 설명이 필요는 하지만, 본서의 기준으로 보았을 때 다소 복잡한 내용에 관해서는 별도로 〈심화학습〉 코너를 두어 다루었습니다. 무엇보다 독자들에게 오해를 불러일으킬 수 있었던 애매한 표현과 부적절한 설명을 여럿 수정하였습니다. 이 과정에서 책의 분량은 약간 증가하게 되었습니다만, 이전 원고보다 조금이라도 나아진 부분이 있다면 이것은 독자들이 양해하여 주지 않을까 하는 기대를 걸어 봅니다.
책이 나오기까지 우여곡절이 있었습니다. 많은 분들의 지원과 애정이 없었다면 이 작업은 끝내기 어려웠을 것입니다. 무엇보다 항상 곁에서 응원을 아끼지 않았던 아내와 가족에게 감사한 마음뿐입니다.
이 책이 누군가에게 좋은 기억으로 남기를 기원하며 말을 맺습니다.

2024년 2월 김민석 올림.

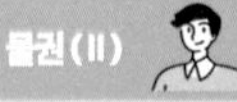

“하루에 하나씩 읽는
민법조문 물권편,
시작합니다.”

Part 3.

제3장, 소유권
제1절, 소유권의 한계

제216조(인지사용청구권)

①토지소유자는 경계나 그 근방에서 담 또는 건물을 축조하거나 수선하기 위하여 필요한 범위내에서 이웃 토지의 사용을 청구할 수 있다. 그러나 이웃 사람의 승낙이 없으면 그 주거에 들어가지 못한다.

②전항의 경우에 이웃 사람이 손해를 받은 때에는 보상을 청구할 수 있다.

조문에 들어가기 전에 간단하게 숲을 보고 옵시다. 우리는 민법 총칙 파트를 마치고, 물권편에 들어와 물권의 종류, 물권법정주의, 부동산과 동산의 물권변동 등에 대해 공부하였습니다(물권 총칙). 그리고 물권편의 제2장인 점유권에 대해 알아보았고, 지금은 소유권의 장을 공부하고 있습니다.

지금 우리가 위치한 곳은 소유권에 대한 내용 중에서도 제1절, “소유권의 한계” 부분입니다. 소유권의 한계가 무엇인지 알려면 소유권이 무엇인지부터 시작해야겠지요. 그래서 우리는 소유권의 내용(제211조), 토지소유권의 범위(제212조), 소유권으로부터 발생하는 물권적 청구권인 소유물반환청구권 등에 대해서 알아보았던 것입니다(제213조, 제214조).

이제부터 민법에서 나올 내용은 타인과의 관계에서 소유권이 어떤 제한을 받고 있는지와 관련된 것입니다. 앞서 소유권에 관한 내용을 공부하면서 소유권은 법률의 범위 내에서 행사된다고 했는데,

그에 관한 구체적인 내용을 알아볼 것입니다.

특히 제216조부터 제244조(제3장 제1절의 끝까지)는 주변의 '토지' 및 부동산 소유자 간의 관계를 주로 규율하고 있습니다.

그런데 "왜 동산도 아니고, 하필 부동산, 그것도 토지에 대해서 이렇게 열심히 규정해 놓았을까?" 이런 물음이 생길 수 있을 겁니다. 왜일까요? 토지는 다른 물건과 다르게 유달리 좀 분쟁이 많습니다. 일단 건물을 생각해 봅시다. 건물은 그래도 눈으로 보기에(?) 이 건물, 저 건물이 딱 떨어져 있잖아요.

그런데 토지는 경계가 칼같이 다 그어져 있는 것도 아니고, 때에 따라서는 심지어 측량이 잘못된 경우도 있습니다. 그러다 보니 토지 소유권을 행사할 때에도 다른 토지 소유권자와 충돌이 일어날 일이 많다는 겁니다.

다만, 그렇다고 해서 앞으로 공부할 내용에서 모조리 토지에 관해서만 규율하는 것은 아니고, 토지 외의 부동산에 대해서도 내용을 일부 정해 두었습니다. 어쨌거나 이렇게 서로 가까운, 인접한 부동산 소유자 사이의 관계를 조절하기 위해 마련된 제216조부터 제244조까지의 규정을 상린관계(相隣關係)규정이라고 합니다. 서로 이웃한 사람 간의 관계라는 뜻이지요.

그리고 이러한 상린관계규정에 의하여 토지소유자 등에게 주어지는 권리를 상린권(相隣權)이라고 합니다. '상린'이라는 단어 참 생소하고 잘 안 쓰는 말인데, 일단은 학계에서 이렇게 쓰고 있으니 어쩔 수가 없네요. 알고는 지나가도록 하겠습니다.

제216조는 '인지'라는 표현을 쓰고 있는데, 이는 우리가 총칙에서 처음 공부했던 인지(법률혼이 아닌 관계에서 태어난 아이를 아버지가 자신의 자식으로 인정하는 것)와는 다른 뜻입니다. 여기서의 인지(隣地)는 '이웃 인'에 '땅 지'의 글자로, 서로 인접하거나 이웃하는 땅을 말합니다.

제216조제1항에 따르면, 토지소유자는 경계나 그 근방에서 담장, 건물을 만들거나 고치려고 할 때에는 필요한 범위 내에서 이웃한 땅의 사용을 요구할 수 있습니다.

예를 들어 보겠습니다. 철수는 A라는 땅의 소유자입니다. 영희는 그 땅의 바로 옆에 있는 B라는 땅의 소유자입니다. 두 사람에게는 이제 상린관계규정이 적용될 것입니다.

철수는 자신의 땅인 A에 건물을 하나 갖고 있었는데, 그 건물의 한쪽 벽면이 무너져 불가피하게 수리가 필요하게 되었습니다. 그런데 건물을 수리하기 위해서 자재 등을 가져다 둘 공간이 적어서, 어쩔 수 없이 B 땅을 어느 정도 써야만 합니다. 철수가 나무판자와 벽돌 몇 개를 가져다 두는데 B 땅의 경계를 조금 넘었습니다. 그때 영희가 뛰쳐나옵니다. "내 땅에 어디 벽돌을 2개나 놔둬! 절대 안 돼! 내가 소유자이니, 소유물방해제거청구권을 행사하겠다! 네 건물이 무너지건 말건 내 알 바 아니야."

이건 조금 심하다고 할 수 있습니다. 그래서 제216조제1항은 철수가 최소한 그런 경우에는 영희에게 맞서 그 땅을 쓸 수 있도록 청구할 수 있게 하고 있는데, 이를 인지사용청구권이라고 합니다.

물론 조심하여야 할 것이, 제1항은 '쓸 수 있다'라고 규정하고 있지 않고 '쓸 것을 청구할 수 있다'라고 하고 있으므로, 철수가 당연히 영희의 땅을 당장 맘대로 쓸 수 있는 것은 아닙니다. 영희가 계속 동의하지 않고 계속 반대할 경우 청구권을 행사하여 법원의 판결을 받아야 합니다.

철수에겐 또 다른 제한도 있습니다. 만약 B 땅이 농사로 쓰는 것도 아니고 영희가 직접 살고 있는, 주거하는 땅이라면 철수는 영희의 동의를 반드시 얻어야 합니다. 솔직히 영희가 매일 밥 먹고 씻고 살고 있는 곳인데 바로 몇 미터 앞에서 공사 인부들이 막 돌아다니고, 벽돌 여러 장 가져다 놓고 이러면 되겠습니까. 민법에서는 어느 정도 융통성을 부리려고 한 듯합니다.

또한, 제2항에서는 만약 제1항에 따른 철수의 청구권 행사로 영희에게 손해가 발생한 경우에는 철수가 이를 보상하여야 한다고 정하고 있습니다. 그래도 영희의 땅을 남이 사용하는 건데, 손해는 당

연히 갚아 주어야지요. 어쨌건 남의 땅 쓰기는 참 쉽지 않습니다.

오늘은 인지사용청구권에 대하여 알아보았습니다. 법에는 이런 규정이 있지만, 그렇다고 함부로 이를 주장하면서 남의 땅을 막 쓰다간 큰일 납니다. 기왕이면 늘 주인과 협의하는 것이 좋겠지요. 내일은 생활방해에 관한 내용을 알아보겠습니다.

제217조(매연 등에 의한 인지에 대한 방해금지)

①토지소유자는 매연, 열기체, 액체, 음향, 진동 기타 이에 유사한 것으로 이웃 토지의 사용을 방해하거나 이웃 거주자의 생활에 고통을 주지 아니하도록 적당한 조처를 할 의무가 있다.
②이웃 거주자는 전항의 사태가 이웃 토지의 통상의 용도에 적당한 것인 때에는 이를 인용할 의무가 있다.

제217조를 봅시다. 독특한 규정인데요, 제1항에 따르면 토지소유자는 매연, 음향, 진동과 같은 것들로 이웃 땅의 사용을 방해하거나 이웃에 사는 사람의 생활에 고통을 주지 않도록 조치를 취하여야 합니다. 이처럼 토지 사용을 방해하거나 이웃 거주자의 생활에 고통을 주는 것을 일컬어 생활방해라고 부르기도 합니다.

문장을 천천히 읽어 보시면 알겠지만, '고통을 주어서는 아니 된다'라고 적어 두지 않았습니다. '고통을 주지 않도록 조처를 하여야 한다'라고 되어 있거든요. 원래는 매연이나 소음을 만들어서는 안 되는 것이지만, 불가피한 경우에는 그렇게 할 수도 있다, 다만 하려면 적어도 고통을 주지 않을 조치는 취하여야 한다, 이런 것입니다. 법률에서의 표현은 아 다르고 어 다르니 꼼꼼히 읽으셔야 합니다.

심지어 제2항에 따르면 이웃에 사는 사람은 이러한 매연이나 소음 등이 그 땅의 통상의 용도에 비추어 '적당'한 것인 때에는 이를 인용하여야(참아야) 할 의무까지 있습니다.

우와, 이건 민법이 너무하는 거 아니냐고 생각하실 수 있겠는데 사실 '적당'이라는 표현 자체가 굉장히 어려운 표현이기는 합니다. 도대체 어디까지가 '적당'한 수준인 걸까요?

문장이 길지만 이해를 돕기 위해 우리의 판례를 그대로 가져와 보았습니다. "도로에서 발생하는 소음으로 말미암아 생활에 고통을 받는 경우에 이웃 거주자에게 인용의무가 있는지 여부는 일반적으로 사회통념에 비추어 도로소음이 참아내야 할 정도(이하 '참을 한도'라고 한다)를 넘는지 여부에 따라 결정하여야 한다. 이는 구체적으로 소음으로 인한 피해의 성질과 정도, 피해이익의 공공성, 가해행위의 종류와 태양, 가해행위의 공공성, 가해자의 방지조치 또는 손해 회피의 가능성, 공법상 규제기준의 위반 여부, 지역성, 토지이용의 선후관계 등 모든 사정을 종합적으로 고려하여 판단하여야 한다. 그리고 도로가 현대 생활에서 필수 불가결한 시설로서 지역 간 교통, 균형개발과 국가의 산업경제활동에 큰 편익을 제공하는 것이고, 도시개발사업도 주변의 정비된 도로망 건설을 필수적인 요소로 하여 이루어지고 있는 점, 자동차 교통이 교통의 많은 부분을 차지하고 있고, 도시화·산업화에 따라 주거의 과밀화가 진행되고 있는 현실에서 일정한 정도의 도로소음의 발생과 증가는 사회발전에 따라 피할 수 없는 변화에 속하는 점 등도 충분히 고려되어야 한다."라고 합니다(대법원 2016. 11. 25. 선고 2014다57846 판결). 판례가 여러 가지 측면을 종합적으로 검토하고 있다는 점에 중점을 두어 천천히 읽어 보시기 바랍니다.

혹시 제217조를 읽으면서 제214조가 떠오른 분들도 있으실 텐데요, “소음이나 매연으로 소유권의 방해를 받았으니까 제214조를 이용할 수도 있지 않을까? 제217조와는 무슨 관계일까?” 이렇게 생각하실 수도 있습니다.

제214조(소유물방해제거, 방해예방청구권) 소유자는 소유권을 방해하는 자에 대하여 방해의 제거를 청구할 수 있고 소유권을 방해할 염려있는 행위를 하는 자에 대하여 그 예방이나 손해배상의 담보를 청구할 수 있다.

이에 대해서는 여러 학설이 있는데, ‘적당한 수준’을 넘어선 방해가 있다면 제214조를 근거로 해서 방해제거 또는 예방을 청구할 수 있으므로 제217조의 독자적인 존재 의의는 사실상 없다고 보는 견해도 있습니다(김준호, 2017).

다만 우리의 통설은 만약 제217조제2항에서 말하는 ‘적당한 수준’을 넘지 않는다면 제214조에 따른 방해배제 등의 청구를 할 수는 없다고 보고 있으므로, 두 조문 간의 관계를 이해하는 데에 참고하시기 바랍니다(고상현, 2016; 이종덕, 2018).

제217조를 읽으면서 많은 분들이 최근 논란이 되고 있는 층간소

음의 문제에 대해 생각하셨을 겁니다. 우리나라에는 이미 '소음·진동 관리법'이라는 법률이 있어, 소음에 대해서 정의하고 있습니다. 이 법에서는 층간소음에 대해서도 일부 규율하고 있으니 관심이 있는 분들은 한번 찾아 읽어 보셔도 괜찮을 듯합니다.

소음 · 진동관리법

제2조(정의) 이 법에서 사용하는 용어의 뜻은 다음과 같다.

1. "소음(騷音)"이란 기계 · 기구 · 시설, 그 밖의 물체의 사용 또는 공동주택(「주택법」 제2조제3호에 따른 공동주택을 말한다. 이하 같다) 등 환경부령으로 정하는 장소에서 사람의 활동으로 인하여 발생하는 강한 소리를 말한다. (이하 생략)

제21조의2(층간소음기준 등) ① 환경부장관과 국토교통부장관은 공동으로 공동주택에서 발생되는 층간소음(인접한 세대 간 소음을 포함한다. 이하 같다)으로 인한 입주자 및 사용자의 피해를 최소화하고 발생된 피해에 관한 분쟁을 해결하기 위하여 층간소음기준을 정하여야 한다.

② 제1항에 따른 층간소음의 피해 예방 및 분쟁 해결을 위하여 필요한 경우 환경부장관은 대통령령으로 정하는 바에 따라 전문기관으로 하여금 층간소음의 측정, 피해사례의 조사 · 상담 및 피해조정지원을 실시하도록 할 수 있다.

③ 제1항에 따른 층간소음의 범위와 기준은 환경부와 국토교통부의 공동부령으로 정한다.

다만, 판례나 중앙환경분쟁조정위원회의 분쟁조정사례 등을 살

펴보면, 현실적으로 층간소음으로 인하여 민법 제214조 등에 따른 방지청구권을 행사하여 인용된 사례가 거의 없어, 이론적 가능성과 현실성 사이에 괴리가 존재한다는 비판이 제기되기도 합니다. 참고로 알아 두시면 되겠습니다(박신욱, 2018).

오늘은 생활방해에 대하여 알아보았습니다. 이웃과 평화롭게 사는 것이 참 중요한 문제네요. 내일은 수도 등의 시설권에 대해 알아보겠습니다.

*참고문헌

고상현, "공동주택에서 간접흡연의 피해에 대한 사법적 구제",「민사법의 이론과 실무」 제19권 제2호, 2016, 130면.

김준호,「민법강의(제23판)」, 법문사, 2017, 601면.

박신욱, "층간소음으로 인한 구분소유권자의 소음방지청구권에 관한 소고-독일연방대법원 2018년 3월 16일 선고 V ZR 276/16 판결을 중심으로-",「일감부동산법학」 제17호, 2018, 61면.

이종덕, "층간소음에 대한 민사법적 검토-민법 제217조 생활방해를 중심으로-",「법조」 제67권 제4호, 2018, 98면.

제218조(수도 등 시설권)

①토지소유자는 타인의 토지를 통과하지 아니하면 필요한 수도, 소수관, 까스관, 전선 등을 시설할 수 없거나 과다한 비용을 요하는 경우에는 타인의 토지를 통과하여 이를 시설할 수 있다. 그러나 이로 인한 손해가 가장 적은 장소와 방법을 선택하여 이를 시설할 것이며 타토지의 소유자의 요청에 의하여 손해를 보상하여야 한다.
②전항에 의한 시설을 한 후 사정의 변경이 있는 때에는 타토지의 소유자는 그 시설의 변경을 청구할 수 있다. 시설변경의 비용은 토지소유자가 부담한다.

제1항을 읽어봅시다. 낯선 단어들이 눈에 띕니다. 수도(水道)는 말 그대로 물이 흐르는 길이고요, 소수관(疏水管)은 '트일 소'의 글자를 쓰는데, 물을 보내는 송수관, 배수관을 의미합니다.

그리고 표현이 참 옛스러운데 '까스관'은 예상하다시피 '가스관'을 의미합니다. 민법이 하도 옛날에 만들어진 데다가 이런 표현들이 개정되지 않은 상태로 이어져 오는 바람에 지금 시점에서는 이런 놀라운 단어들이 남아 있게 된 것입니다.

수도나 배수관, 전선과 같은 시설들은 생활에 매우 필수적인 것들입니다. 물과 전기가 없이 생활하는 것은 현대에 거의 어렵지요. 그런데 타인의 토지를 지나쳐서 이런 것들을 부득불 만들어야만 하는 경우가 생길 수 있습니다.

예를 들어 철수가 자기 집에 들어오는 배수관을 연결하지 않으면 물을 쓸 수가 없는 상황인데, 자신의 집 옆과 뒤로는 모두 절벽이 가로막고 있고, 앞집인 영희의 땅을 통과해서 배수관을 설치하여야만 한다고 합시다. 뭐, 생각해 보면 뒤의 절벽을 다 허물고 배수관을 뒤로 연결할 수도 있겠지만, 그건 천문학적인 비용이 들겠지요.

민법은 이러한 경우에 토지소유자에게 시설권(施設權, '시설'이란 설비나 장치 따위를 만들어 놓는 것을 말합니다)을 인정하여 주고 있는 것입니다.

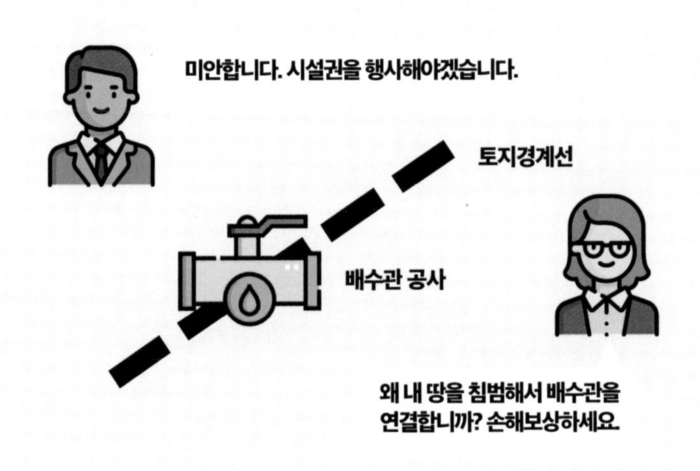

물론 제1항 단서에서는 시설권이 인정된다고 하더라도 '손해가 가장 적은' 장소와 방법을 선택하여야 하고, 그로 인해 다른 사람 토

지의 소유자에게 피해가 있는 때에는 이를 보상하여야 한다고 정하고 있습니다.

다만, 현실적으로 요즘 세상에 자기가 자기 손으로 직접 배수관을 놓거나 전선을 설치하는 경우는 거의 없고, 수도·전기·가스와 같은 공공사업은 한국전력공사나 한국가스공사와 같은 공기업에 의해서 이루어지는 것이 대부분입니다. 따라서 보통은 '도시가스사업법'이나 '전기사업법' 같은 다른 관계 법률이 적용되는 경우가 많고, 제218조는 개인적인 이익을 위하여 설치하는 사설수도나 자가용전기시설 등에 적용된다고 하겠습니다(김준호, 2017).

우리의 판례는 "민법 제218조제1항 본문은 "토지 소유자는 타인의 토지를 통과하지 아니하면 필요한 수도, 소수(疏水)관, 까스관, 전선 등을 시설할 수 없거나 과다한 비용을 요하는 경우에는 타인의 토지를 통과하여 이를 시설할 수 있다."라고 규정하고 있는데, 이와 같은 수도 등 시설권은 법정의 요건을 갖추면 당연히 인정되는 것이고, 시설권에 근거하여 수도 등 시설공사를 시행하기 위해 따로 수도 등이 통과하는 토지 소유자의 동의나 승낙을 받아야 하는 것이 아니다. 따라서 토지 소유자의 동의나 승낙은 민법 제218조에 기초한 수도 등 시설권의 성립이나 효력 등에 어떠한 영향을 미치는 법률행위나 준법률행위라고 볼 수 없다."라고 하여, 옆에 있는 땅 소유자가 승낙을 하건 말건 이러한 시설권은 인정되는 것이라고 판결하고 있습니다(대법원 2016. 12. 15. 선고 2015다247325 판결).

얼마 전 공부한 인지사용청구권의 경우, '청구할 수 있다'라고 규정되어 있어 재판을 거쳐서 이웃 토지를 사용하여야 한다고 했던 것과 비교됩니다. 표현의 어떤 부분이 다른지 확인해 보세요.

> 제216조(인지사용청구권) ①토지소유자는 경계나 그 근방에서 담 또는 건물을 축조하거나 수선하기 위하여 필요한 범위내에서 이웃 토지의 사용을 청구할 수 있다. 그러나 이웃 사람의 승낙이 없으면 그 주거에 들어가지 못한다.
> ②전항의 경우에 이웃 사람이 손해를 받은 때에는 보상을 청구할 수 있다.

제2항을 봅시다. 제2항에서는, 가스관이나 전선을 설치하고 나서 사정이 변경된 때에는 다른 토지의 소유자(위의 사례에서 영희)가 시설을 변경할 것을 청구할 수 있도록 하고 있습니다.

법학에서 '사정 변경'이라는 표현을 참 많이 사용하는데요, 일반적으로는 자주 쓰지는 않는 말입니다. 이는 사정(事情) 변경, 즉 어떤 상황이나 형편이 바뀌게 된 것을 의미하는 것입니다. 쉽게 말하면 "그때는 맞고 지금은 틀리다. 상황이 바뀌었다"라는 것이지요.

예를 들어 놀라운 기술이 개발되어서 아주 싼 값에 철수의 집 뒤쪽에 나 있는 절벽으로도 배수관을 충분히 낼 수 있게 되었다면, 이는 사정 변경이 있었다고 할 수 있을 것입니다(말은 안 되지만 영희의 땅을 지나가는 것보다도 더 싸게 먹힌다고 가정합시다). 그러면 영희는 더 이상 자신의 토지에 남의 배수관이 지나가는 것을 용인할 필요가 없고, 철수는 제218조제2항에 따라 자기가 돈을 들여서 배수관을 집 뒤편에 다시 설치하여야 할 겁니다.

오늘은 수도 등의 시설권에 대하여 알아보았습니다. 역시 중요한 것은 민법이 소유자의 권리에 대하여 제약을 두고 있다는 것인데요, 오늘 조문의 경우에도 영희는 자기 땅으로 남의 배수관이 지나가는 것을 허용하여야 하는 것을 통해 소유권이 어느 정도 제약된다는 것을 볼 수 있었습니다.

물론 영희를 위해 그에 따른 보상에 관한 규정도 두었지요. 당사자 간에 어느 한쪽만 불리하게 하지 않고, 서로 형평을 맞추도록 최대한 노력하려는 것이 민법의 취지임을 알 수 있습니다.

내일은 주위토지통행권에 대해 알아보겠습니다.

*참고문헌

김준호, 「민법강의(제23판)」, 법문사, 2017, 603면.

제219조(주위토지통행권)

①어느 토지와 공로사이에 그 토지의 용도에 필요한 통로가 없는 경우에 그 토지소유자는 주위의 토지를 통행 또는 통로로 하지 아니하면 공로에 출입할 수 없거나 과다한 비용을 요하는 때에는 그 주위의 토지를 통행할 수 있고 필요한 경우에는 통로를 개설할 수 있다. 그러나 이로 인한 손해가 가장 적은 장소와 방법을 선택하여야 한다.
②전항의 통행권자는 통행지소유자의 손해를 보상하여야 한다.

제1항을 읽어 봅시다. 자, 무슨 말일까요? 어떤 땅이 있습니다. 그런데 이 토지가 도로에 접해 있지 않습니다. 제219조에서는 공로(公路)라고 표현을 쓰고 있는데, 여러 사람이 쓸 수 있는 도로를 말하는 것입니다.

이처럼 도로와 전혀 인접하지 않아서, 다른 토지를 통하지 아니하면 들고 날 수가 없는 땅을 맹지(盲地)라고 합니다. 맹지는 일단 건축허가가 보통 잘 안 나오기 때문에 그 땅에 뭘 짓거나 하기가 애매합니다. 가치가 낮게 평가되는 것이 보통이지요. 맹지의 경우에도 어떻게 투자하는 방법이 있다고는 하는데, 저는 그런 것은 잘 모르겠고 법학과는 상관없는 내용이니까 넘어갑시다.

이제 예를 들어 볼까요? 철수가 바로 맹지의 소유자입니다. 철수의 땅은 다음 그림과 같이 영희의 땅으로 둘러싸여 있고, 도로와 인접해 있지 않습니다(실제 이런 모양으로 땅 주인이 갈리는 경우를 상상하기는 거의 어려운데요, 일단 이해를 위해 가정한 것입니다). 철수는 어쩔 수 없이 영희 소유의 땅을 거쳐서 통로를 하나 만들고 싶어하는데, 평소 철수를 탐탁지 않아 하던 영희는 결사반대를 합니다. 철수는 이제 어떻게 해야 할까요? 이 땅을 버려야 하는 걸까요?

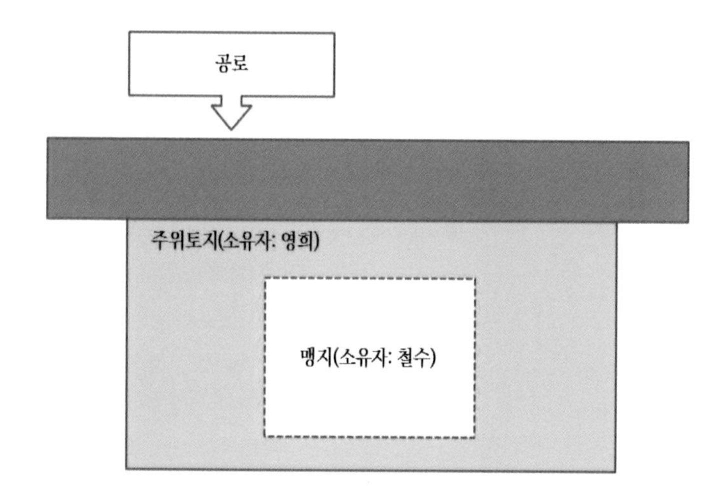

이런 철수와 같은 상황을 구제하기 위하여 존재하는 것이 주위토지통행권입니다. 아래의 요건을 충족하게 되면 토지소유자는 자신이 가진 땅 '주위'의 땅에 통행하거나 통로를 만들 수 있는 권리를 획득하게 됩니다(전장헌, 2017). 읽어 보시면 알겠지만 남의 땅 쓸 수 있게 해주는 권리인 만큼 상당히 요건이 까다롭습니다.

첫째, 토지와 공로의 사이에 그 토지의 용도에 필요한 통로가 없는 상태여야 한다.
둘째, 토지의 소유자가 주위의 토지를 통행하거나 통로를 만들지 않으면 공로에 출입할 수 없어야 한다.
셋째, 다른 토지를 통행하는 것 외에 다른 방법을 취한다면 비용이 엄청나게 들어가는 등 어쩔 수 없는 상황이어야 한다.

이미 통로가 있거나, 아니면 약간의 비용만 들이면 다른 방법으로 공로에 드나들 수 있는 상황이라면 괜히 영희의 소유권을 침해해서는 안 되겠지요.

이러한 주위토지통행권은 다른 땅의 소유자(위의 사례에서 영희)의 동의가 없더라도 위 요건만 충족되면 법률의 규정에 따라 발생한다는 점에서 법정통행권의 성격을 띠고 있다고 말하기도 합니다. 만약 영희가 철수의 요청에 동의하여 자신의 땅을 통행에 빌려주고 소정의 사용료를 받기로 했다면, 그건 약정통행권이라고 부를 수 있겠지요. (사실 영희랑 협상을 잘해서 땅을 빌려 쓰는 게 제일 아름다운 그림이기는 합니다)

제2항에서는 철수가 통행권을 가지게 된다고 하더라도, 통행하게 되는 땅 소유자(위의 사례에서는 영희)에게 손해를 보상하여야 한다고 합니다. 즉, 주위토지통행권은 공짜가 아닙니다. 제2항까지 읽은 철수는 좀 시무룩해졌습니다.

우리의 판례 역시, “주위토지통행권자가 민법 제219조 제1항 본문에 따라 통로를 개설하는 경우 통행지 소유자는 원칙적으로 통행권자의 통행을 수인할 소극적 의무를 부담할 뿐 통로개설 등 적극적인 작위의무를 부담하는 것은 아니고, 다만 통행지 소유자가 주위토지통행권에 기한 통행에 방해가 되는 담장 등 축조물을 설치한 경우에는 주위토지통행권의 본래적 기능발휘를 위하여 통행지 소유자가 그 철거의무를 부담한다. 그리고 주위토지통행권자는 주위토지통행권이 인정되는 때에도 그 통로개설이나 유지비용을 부담하여야 하고, 민법 제219조제 1항 후문 및 제2항에 따라 그 통로개설로 인한 손해가 가장 적은 장소와 방법을 선택하여야 하며, 통행지 소유자의 손해를 보상하여야 한다.”라고 하여(대법원 2006. 10. 26. 선고 2005다30993 판결), 길을 내어 주는 땅의 소유자가 자기 돈을 들여서 통로를 만들어줄 의무까지 있는 것은 아니며, 주위토지통행권자가 손해를 보상해 주어야 한다고 하여 양측의 이익을 서로 조정하려는 입장에 서 있습니다.

오늘은 주위토지통행권에 대해서 알아보았습니다. 내일은 특별한 경우의 통행권에 대하여 알아보도록 하겠습니다.

*참고문헌

전장헌, 〈주위토지 통행권의 성립요건과 통로 폭의 인정범위에 대한 고찰〉, 한국법학회, 법학연구 제17권제4호, 2017. 12., 247면.

第220조(분할, 일부양도와 주위통행권)

①분할로 인하여 공로에 통하지 못하는 토지가 있는 때에는 그 토지 소유자는 공로에 출입하기 위하여 다른 분할자의 토지를 통행할 수 있다. 이 경우에는 보상의 의무가 없다.
②전항의 규정은 토지소유자가 그 토지의 일부를 양도한 경우에 준용한다.

어제 우리는 공로에 접하지 못한 토지에 대하여 공부하였습니다. 그런데 그런 토지 중에서도 좀 특별한 경우가 있을 수 있습니다. 제1항은 그중 '분할'의 경우에 대하여 다룹니다.

분할이란 무엇일까요? 분할에 대해 알기 위해서는 토지가 어떻게 기록되고 관리되는지 대강 알 필요가 있으므로, 이것부터 먼저 간단하게 시작하도록 합시다.

토지가 있으면 어디 있다, 모양이 직사각형이다 어떻다, 농지인지 아닌지 등 그 위치나 내용 등의 정보가 있을 것입니다. 이러한 내용을 일컬어 지적(地籍)이라 합니다. '적'은 책이나 서적을 의미하는 한자입니다. 그리고 이러한 지적을 적어 둔 장부를 지적공부(地籍公簿)라고 합니다. '공부'란 공적인 장부라는 뜻으로, 관공서에서 법령의 규정에 따라 작성 및 비치하고 있는 장부를 말합니다.

지적공부에는 여러 가지가 있습니다. '토지대장'과 같이 땅이 어디에 있는지, 지번(땅을 나누어 거기에 부여한 번호)이나 지목(토지의 용도를 구분한 것, 예를 들어 학교용지인지 도로인지), 소유자의 이름 등을 기재한 것도 지적공부의 하나라고 할 수 있고요, 땅의 소재, 지번, 지목 등을 나타내기 위한 지도인 '지적도'도 지적공부의 종류 중 하나라고 하겠습니다.

이러한 지적공부는 누구나 열람을 신청할 수 있습니다. 다음 장에 관련된 서식을 첨부하여 두었으니, 한번 참고삼아 보시면 대략 어떤 내용이 지적공부에 있는지 이해하는데 도움이 될 것입니다.

어쨌거나 토지가 지적공부에 등록될 때에는, 적어도 땅을 기록할 '단위'가 필요할 겁니다. 볼펜이나 지우개 같은 것은 단위가 있지요. 1개, 2개 이렇게 세면 됩니다. 그런데 땅은 1개, 2개 이렇게 셀 수 없잖아요? 그래서 땅을 지적공부에 등록하기 위한 토지의 단위를 만들었는데, 이를 필지(筆地)라고 합니다. 필지는 토지 소유자를 구분하기 위하여 사용되는 개념이므로, 면적을 나타내는 것은 아닙니다. 따라서 '1필지'라고 하면 몇 평 안 될 수도 있고, 몇 백 평이 넘을 수도 있습니다(홍용석, 2006).

그런데 1필지의 토지가 있으면, 그 구분이 영원하여야 한다는 법은 없습니다. 예를 들어 철수가 1필지의 토지 소유자인데, 그중 일부만을 떼어서 영희에게 팔려고 한다고 합시다. 그러면 1필지는 소유자 구분을 위한 것인데, 이제 똑같은 땅에 소유자가 2명이 되므로(철수, 영희) 필지도 2개로 나뉘어야 합니다. 이처럼 토지의 필지를 쪼개는 것을 '분할'(토지분할)이라고 합니다. 만약 토지분할을 마음대로 해버리게 되면 국가의 지적행정에 좋지 않을 수도 있는 등 이유가 있어, 여러 법률에서는 이를 특별히 제한하기도 합니다.

현행법령에 따른 필지, 분할 등의 개념 정의에 대해서는 아래 「공간정보의 구축 및 관리 등에 관한 법률」의 내용을 참고하시기 바랍니다.

공간정보의 구축 및 관리 등에 관한 법률
제2조(정의) 이 법에서 사용하는 용어의 뜻은 다음과 같다.
21. "필지"란 대통령령으로 정하는 바에 따라 구획되는 토지의 등록단위를 말한다.
31. "분할"이란 지적공부에 등록된 1필지를 2필지 이상으로 나누어 등록하는 것을 말한다.
(기타 나머지 내용은 생략)

자, 제220조로 다시 돌아가 봅시다. 우리가 공부한 분할의 개념에 따르면, 공로에 접하지 못하는 땅이 여의치 않게 발생할 수 있다는 것을 생각할 수 있습니다. 원래는 분명히 공로에 접하는 1필지의 땅이었는데, 2필지로 쪼개지면서 한쪽 필지는 공로에 접하지 못하게 되어 버릴 수도 있겠지요. 제1항은 이러한 경우에는 '보상할 필요' 없이 공짜로 주위토지통행권을 행사할 수 있도록 정하고 있는 것입니다.

또한, 제2항에서는 토지의 일부를 떼어서 팔아치운 경우에도 이를 준용하고 있습니다. 제1항의 경우에 비추어 쉽게 이해하실 수 있을 것입니다.

그럼 제220조와 어제 공부한 제219조의 차이는 뭘까요? 일단, 어제 공부한 제219조의 주위토지통행권은 공짜가 아니었습니다. 즉, 오늘 공부한 제220조의 주위토지통행권은 무상이라는 점에서 차이가 있습니다.

왜 그럴까요? 생각해 보십시오. 제219조는 솔직히 아무런 상관도 없는 사람에게 단지 내 땅 이웃 토지의 주인이라는 이유만으로 주어진 통행권이었지만, 토지분할이나 일부양도로 인해서 발생한 (공로로부터 떨어진) 땅의 주인은 그래도 어느 정도는 상관이 좀 있는 사람입니다. 제219조에서보다는 좀 더 너그럽게 통행권을 인정해 줄 필요가 있습니다. 그래서 무상으로 이를 정해 두고 있는 것입니다.

오늘은 어제에 이어 주위토지통행권의 특별한 케이스를 공부하였습니다. 내일은 자연유수에 대하여 알아보겠습니다.

*참고문헌

홍용석, “필지는 면적 단위가 아니다”, 오마이뉴스, 2006. 6. 27.자, http://www.ohmynews.com/NWS_Web/View/at_pg.aspx?CNTN_CD=A0000341747, 2023. 1. 11. 확인.

제221조(자연유수의 승수의무와 권리)

①토지소유자는 이웃 토지로부터 자연히 흘러오는 물을 막지 못한다.
②고지소유자는 이웃 저지에 자연히 흘러 내리는 이웃 저지에서 필요한 물을 자기의 정당한 사용범위를 넘어서 이를 막지 못한다.

단어가 쓸데없이 또 생소합니다. '자연유수의 승수의무'... 이건 또 뭘까요? 실 의미는 그렇게 어렵지 않습니다. '승수'(承水)에서 '승'은 잇는다는 의미를 가지고 있고, 승수라는 것은 물이 이어진다는 것을 뜻합니다. 결국 승수의무란 물이 자연스레 흘러가는 것을 끊거나 하지 않을 의무인 겁니다.

이에 대하여 판례는 "민법 제221조 소정의 승수의무는 물이 자연히 높은 곳으로부터 낮은 곳으로 흐르는 때에 낮은 토지의 소유자가 그것을 인용하여야 하는 의무이고 자연히 흘러내리는 물이 어떤 사정으로 낮은 곳에서 막힌 때에는 높은 토지의 소유자는 그 소통에 필요한 공사를 할 수 있는 소통공사권이 있는 것이나 자연적으로 흘러내리는 물과 인위적인 물이 함께 배수관을 통하여 흘러내리는 경우는 동법 226조 소정의 여수소통권의 경우로 보는 것이 타당하므로 소통권자는 낮은 땅을 위하여 손해가 가장 적은 장소 및 방법을 선택하여야 하고 낮은 토지소유자의 손해가 인정될 경우에는 이를 보상하여야 한다."라고 하여 승수의무의 의미를 명확히 하고 있습니다(대법원 1976. 7. 13. 선고 75다2193 판결). 여수소통권에 대한 말이 나오는데 이건 나중에 공부할 것이므로 일단 넘어갑시다.

예를 들어 높은 지대에 있는 땅을 철수가 소유하고 있고, 낮은 지대에 있는 땅을 영희가 인접해서 소유하고 있다고 합시다. 이 경우 철수의 땅에서 영희의 땅으로 물이 흘러내리고 있을 때, 영희가 "감히 내 땅에 허락도 없이 물을 흐르게 해!"라고 화내면서 이를 강제로 끊어 버리거나 제방을 쌓아 흐름을 막아 버리는 등의 행위를 해서는 안된다는 것입니다.

하지만 저지대에 사는 토지소유자에게만 의무가 있으면 뭔가 억울하겠지요. 제221조제2항은 고지대에 사는 토지소유자에게도 어느 정도 의무를 부과하고 있습니다. 위의 사례에서 철수는 비록 물이 자신의 땅으로부터 흘러내려 영희의 땅으로 가고 있는 것이라고 할지라도, 정당한 사용범위를 넘어서 영희의 물 사용을 막을 수는 없습니다.

또한, 우리 판례는 "민법 제221조 제1항 소정의 '자연히 흘러오는 물'이라 함은 인공(人工)에 의하여 지상에 떨어지거나 지상으로 분출되는 물이 아닌 우수도 여기에 포함된다."라고 하면서 "낮은 곳의 토지 소유자가 자신의 토지에 성토하여 지반고를 높이거나 제방을 쌓았기 때문에 종전에 높은 곳으로부터 자연히 흘러오는 우수의 흐름을 막게 되었다면, 이는 민법 제221조 제1항 소정의 승수의무를 위반한 것이다."라고 하여, 물줄기가 평상시에 이어 흐르는 것뿐만 아니라 빗물(우수雨水)이 흐르는 것도 포함되는 것으로 보고 있으니 참고하시기 바랍니다(대법원 1995. 10. 13. 선고 94다31488 판결).

오늘은 승수의무에 대하여 알아보았습니다. 표현은 어려웠지만 내용은 이해하기 그리 어렵지 않았으리라 생각합니다. 내일은 소통공사권에 대하여 공부하겠습니다.

제222조(소통공사권)

흐르는 물이 저지에서 폐색된 때에는 고지소유자는 자비로 소통에 필요한 공사를 할 수 있다.

오늘의 단어도 애매합니다. '소통공사권'... 우리가 일상생활에서 '소통'이라고 하면 서로 이야기가 잘 오고 가는 것을 말하는 경우가 많은데, 그 의미와 아주 다르지는 않습니다. 즉 물을 서로 '막힘없이' 흐르게 하는 것이지요. 또, '폐색'(閉塞)이라 함은 '닫을 폐'에 '막힐 색'의 한자로, 막힌다는 것을 말합니다. 역시 단어가 좀 생소하기는 합니다.

제222조에서는 제221조에서와 마찬가지로 '고지대'와 '저지대' 간 토지소유자의 관계를 규율하고 있는데요, 높은 땅의 소유자는 흐르는 물이 낮은 땅에서 막히게 되는 경우에는 자신의 돈을 들여서 (만약 돈까지 낮은 땅 소유자의 것을 쓰게 한다면 그건 좀 잔인한 일이겠지요) 물길을 통하게 하는 데 필요한 공사를 할 수 있는 권리를 부여하고 있습니다.

제222조에서는 '할 수 있다'라고 정하고 있으니까, 높은 지대 땅의 소유자가 할 생각이 없으면 그냥 공사를 안 해도 상관은 없습니다. 다만 하고 싶으면 할 수 있는 권리는 주겠다는 겁니다. 물론, 님의 돈으로요. 내일은 저수 등에 대한 공사청구권에 대해 알아보겠습니다.

제223조(저수, 배수, 인수를 위한 공작물에 대한 공사청구권)

토지소유자가 저수, 배수 또는 인수하기 위하여 공작물을 설치한 경우에 공작물의 파손 또는 폐색으로 타인의 토지에 손해를 가하거나 가할 염려가 있는 때에는 타인은 그 공작물의 보수, 폐색의 소통 또는 예방에 필요한 청구를 할 수 있다.

오늘의 조문은 저수, 배수, 인수를 위한 공작물에 대한 공사청구권을 규정하고 있는데요, 표현이 역시 일상생활에서는 잘 안 쓰는 것들이므로, 하나씩 천천히 알아보도록 하겠습니다.

'저수'란, 물을 저장한다는 뜻입니다. '배수'란, 안에 있는 물을 뽑아낸다는 것입니다. '인수'는 '끌 인'의 글자를 쓰는데 물을 끌어온다는 것입니다.

즉, 제223조는 토지의 소유자가 물을 저장하거나 빼거나 끌어오려는 목적으로 공작물을 설치한 경우에, 공작물이 부서지거나(파손) 막히는(폐색) 등 남의 땅에 손해를 끼치거나 끼칠 염려가 있다면 (그 손해를 받을) 다른 사람이 공작물을 고치거나 막힌 것을 뚫거나, 예방에 필요한 조치를 청구할 수 있다는 것입니다.

내 땅에서 물을 끌어 쓰기 위해서 배관 같은 것을 설치했는데, 그 배관이 부서져서 남의 땅에 피해를 끼쳐서는 안 될 것입니다.

그래서 그 남의 땅 소유자는 불안함을 없애기 위해서 '예방'에 필

요한 조치를 청구하거나, 부서진 것을 고치라는 등의 행위를 요구할 수 있는 거지요.

오늘은 저수 등에 필요한 공작물에 대해서 공사를 할 것을 청구할 수 있는 권리를 알아보았습니다.

내일은 비용 부담과 관습에 대하여 공부하겠습니다.

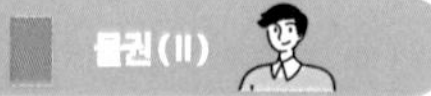

제224조(관습에 의한 비용부담)

전2조의 경우에 비용부담에 관한 관습이 있으면 그 관습에 의한다.

우리는 지난 2개 조문에서 '소통공사권'과 '저수 등 공작물에 대한 공사청구권'을 공부한 바 있습니다. 제224조는 만약 그런 경우 비용을 누가 부담하여야 하는지에 대하여 관습이 존재하면, 그 관습에 따르라고 하고 있습니다.

예를 들어 제222조에 따르면, 흐르는 물이 저지에서 막히는 경우 고지소유자가 자기 돈을 들여서 소통 공사를 하게 됩니다. 또한, 제223조에 따르면 자기 땅에서 쓸 물을 끌어오기 위해 공작물을 설치한 경우, 그 공작물에 파손 등으로 남의 토지에 손해가 생긴다면 공작물 설치자가 보수 등 비용을 부담하도록 하고 있습니다.

그러나 제224조는 다음과 같이 말합니다. 위 2개 조문에도 불구하고 관습에 따라서 다른 비용 부담이 행해지고 있다면 그에 따르라고요.

내일은 처마 물에 관한 내용을 알아보겠습니다.

제225조(처마물에 대한 시설의무)

토지소유자는 처마물이 이웃에 직접 낙하하지 아니하도록 적당한 시설을 하여야 한다.

처마물이라고 하니까 잠시 무슨 말인가 이해가 잘 안 갑니다. 이게 띄어쓰기가 좀 되면 이해가 편할 텐데, '처마 물'입니다.

처마라는 것은 건물이 있으면 그 지붕에서부터 이어져서 기둥 밖으로 나온 부분인데요, 비가 내리면 처마를 따라 물이 흐르게 됩니다. 그렇게 처마에서 흐르는 물이 바로 '처마물'인 겁니다. 바로 아래 사진 같은 것이 대표적인 처마라고 할 수 있겠지요.

해인사 수다라장. 한낮인데도 처마 끝의 그림자가 윗벽 상단에 걸렸으니 한겨울인 모양이다. 처마 아래 기단 밖으로 낙숫물을 받아내는 도랑이 있다.

처마는 햇볕의 양을 조절해 주어서 여름은 시원하게 겨울은 따뜻하게 해주며, 공포를 만들어 구조적으로 안정감 있고 시각적으로 아름다운 외관을 갖추게 한

출처: 문화재청(2010)

사실 요즘은 아파트나 오피스텔에 사는 사람이 굉장히 많아져서,

'처마'라는 말 자체를 거의 일상에서 사용하는 경우가 드물게 되었습니다. 어쨌거나 민법의 취지는 반드시 '처마'에서 흘러내리는 물만을 한정적으로 말한다기보다 내 땅의 건물에서 떨어지는 물이 이웃에게 바로 떨어지지 않도록 적당한 시설을 해야 한다는 것으로 볼 수 있습니다. 실제로 2019년 정부에서 제출한 '민법 일부개정법률안'(의안번호 2021928)은 제225조를 다음과 같이 개정할 것을 제안하고 있고요.

현 행	개 정 안
第225條(처마물에 對한 施設義務) 土地所有者는 처마물이 이웃에 直接 落下하지 아니하도록 適當한 施設을 하여야 한다.	제225조(낙숫물에 의한 시설의무) 토지소유자는 낙숫물이 이웃에 직접 떨어지지 않도록 적당한 시설을 설치해야 한다.

여러분께서도 제225조의 처마물의 의미를 적당히 '낙숫물' 정도로 이해하셔도 무방할 듯합니다. 남의 땅에 있는 건물에서 내 땅으로 물이 뚝뚝 계속 떨어지면 은근히 짜증 나겠지요. 내일은 여수소통권에 대하여 알아보겠습니다.

*참고문헌

문화재청, 〈한옥을 한옥답게 하는 처마〉, 월간문화재사랑, 2010. 7.

제226조(여수소통권)

①고지소유자는 침수지를 건조하기 위하여 또는 가용이나 농, 공업용의 여수를 소통하기 위하여 공로, 공류 또는 하수도에 달하기까지 저지에 물을 통과하게 할 수 있다.
②전항의 경우에는 저지의 손해가 가장 적은 장소와 방법을 선택하여야 하며 손해를 보상하여야 한다.

이번에도 표현이 낯설게 느껴집니다. 아무래도 민법상 상린관계 규정은 아주 예전에 만들어져서 그 뒤 잘 개정되지 않아 예스러운 단어들이 많이 남아 있어서, 솔직히 어린 학생들이 읽을 때에는 무슨 뜻인가 싶은 표현들이 넘치는 것이 사실입니다.

'여수소통권'에서 '여수'(餘水)라는 것은 '남을 여'의 글자를 씁니다. 즉, 남는 물이라는 뜻입니다. '공로'는 전에 이미 공부했던 표현입니다. 공공 도로입니다. '공류'는 사적인 것이 아니라 공익에 관계된 것으로서 흐르는 물을 말합니다.

결국 제226조제1항의 의미를 쉽게 풀어 써보면 이런 뜻입니다. 높은 땅의 소유자는 (1)물에 잠겨 버린 땅(침수지)를 마르게 하기 위한 목적, (2)또는 가정용(가용), 농업용, 공업용으로 쓰고 남은 물(여수)을 흐르게(소통) 하기 위한 목적으로 공로, 공류, 하수도에 도달하기까지 그 물이 낮은 땅을 거쳐서 가게 할 수 있다는 겁니다. 내가 쓰고 남은 물을 남의 땅을 통해서 갈 수 있게 하는 것이니만큼, 민법에서 따로 규율하고 있다고 하겠습니다.

사실 이렇게 되면 낮은 땅의 소유자가 좀 억울합니다. 높은 땅의 소유자가 뭐길래 내 땅을 통해서 자기가 쓰고 남은 물을 흘려보낸답니까.

그래서 그런 그의 억울함을 조금이나마 달래기 위하여 제2항에서는 낮은 땅 소유자에게 가장 손해가 적은 방법과 장소를 택하도록 하고 있으며, 손해가 있으면 이를 보상하게 정하고 있습니다. 최소한 이 정도는 되어야 억울함이 좀 해소된다고 할 수 있겠지요.

오늘은 여수소통권에 대해 알아보았습니다. 내일은 유수용공작물의 사용권에 대해 공부하겠습니다.

제227조(유수용공작물의 사용권)

①토지소유자는 그 소유지의 물을 소통하기 위하여 이웃 토지소유자의 시설한 공작물을 사용할 수 있다.
②전항의 공작물을 사용하는 자는 그 이익을 받는 비율로 공작물의 설치와 보존의 비용을 분담하여야 한다.

낯선 단어가 나옵니다. 유수용 공작물이란 뭘까요? 바로 물을 흐르게(유수流水) 하기 위하여 만든 시설물을 말합니다. 제227조제1항에 따르면, 땅의 소유자는 그 땅에서 물을 흐르게(소통) 하기 위해서 이웃한 토지소유자가 설치해 둔 공작물을 이용할 수 있다는 겁니다.

결국 본질적으로는 내 땅에 물을 대기 위해서 남의 물건을 이용한다는 건데, 상대방 입장에서는 꽤 억울할 수 있는 일입니다. 그래서 제2항에서는 적어도 그 이익을 보는 비율에 따라서 공작물의 설치 및 보존에 필요한 비용은 내야 한다고 정하고 있는 거지요. 이 정도는 되어야 공평하지 않겠습니까?

다만, 이러한 사용권은 아무렇게나 쓸 수는 없습니다. 판례에서 잘 정리하고 있는 문장이 있어 이하 첨부합니다. 이 판례는 다소 길긴 하지만, 제227조뿐 아니라 우리가 공부한 제218조에 대해서도 언급하고 있어 좋은 참고자료가 될 것입니다.

"인접하는 토지 상호간의 이용의 조절을 위한 상린관계에 관한 민법 등의 규정은 인접지 소유자에게 소유권에 대한 제한을 수인할 의무를 부담하게 하는 것이므로 적용 요건을 함부로 완화하거나 유추하여 적용할 수는 없고, 상린관계 규정에 의한 수인의무의 범위를 넘는 토지이용관계의 조정은 사적자치의 원칙에 맡겨야 한다. 그러므로 어느 토지소유자가 타인의 토지를 통과하지 아니하면 필요한 전선 등을 시설할 수 없거나 과다한 비용을 요하는 경우에는 타인은 자기 토지를 통과하여 시설을 하는 데 대하여 수인할 의무가 있고(민법 제218조 참조), 또한 소유지의 물을 소통하기 위하여 이웃토지 소유자가 시설한 공작물을 사용할 수 있지만(민법 제227조), 이는 타인의 토지를 통과하지 않고는 전선 등 불가피한 시설을 할 수가 없거나 타인의 토지를 통하지 않으면 물을 소통할 수 없는 합리적 사정이 있어야만 인정되는 것이다. 인접한 타인의 토지를 통과하지 않고도 시설을 하고 물을 소통할 수 있는 경우에는 스스로 그와 같은 시설을 하는 것이 타인의 토지 등을 이용하는 것보다 비용이 더 든다는 등의 사정이 있다는 이유만으로 이웃토지 소유자에게 그 토지의 사용 또는 그가 설치·보유한 시설의 공동사용을 수인하라고 요구할 수 있는 권리는 인정될 수 없다."(대법원 2012. 12. 27. 선고 2010다103086 판결)

판례가 상린관계 규정의 존재에도 불구하고 남의 땅이나 물건을 함부로 사용하지 않도록 입장을 밝히고 있다는 점을 이해하시면 좋을 듯합니다. 내일은 여수급여청구권에 대하여 알아보겠습니다.

제228조(여수급여청구권)

토지소유자는 과다한 비용이나 노력을 요하지 아니하고는 가용이나 토지이용에 필요한 물을 얻기 곤란한 때에는 이웃 토지소유자에게 보상하고 여수의 급여를 청구할 수 있다.

제228조는 여수급여청구권에 관한 내용인데요, '여수'라는 단어에 대해서는 우리가 이미 공부한 바 있습니다. 남는 물이라는 겁니다. 여수급여청구권이란, 땅의 소유자가 과다한 비용(노력)을 들이지 않으면 가정용(가용)이나 토지의 이용에 필요한 물을 얻기가 곤란한 상황일 때에는 이웃 땅의 소유자에게 값을 쳐주고 남는 물을 달라고 할 수 있는 권리를 말합니다.

일단 과다한 비용이나 노력이 들지 않고, 아주 간단한 노력만으로도 물을 얻을 수 있는 상황이라면 당연히 이런 청구권은 인정이 안 되고요, 또 설령 곤란한 상황이라고 하더라도 상대방에게 그만한 값을 보상해 주어야 합니다. 어쨌거나 우리 민법이 공평을 기하기 위해 노력하고 있다는 것을 알 수 있습니다.

아무래도 상린권 파트에서는 단순한 구조의 규정들이 많다 보니, 내용을 간략하게만 알아보는 경우가 생기는 듯합니다. 어차피 나중에 취득시효로 접어들면 한 조문에도 설명이 매우 길어질 테니, 지금은 그냥 마음 편하게 쉬어간다는 생각으로 읽으시면 될 것 같아요. 내일은 수류의 변경에 대하여 알아보겠습니다.

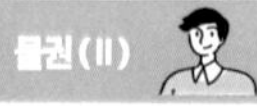

제229조(수류의 변경)

①구거 기타 수류지의 소유자는 대안의 토지가 타인의 소유인 때에는 그 수로나 수류의 폭을 변경하지 못한다.
②양안의 토지가 수류지소유자의 소유인 때에는 소유자는 수로와 수류의 폭을 변경할 수 있다. 그러나 하류는 자연의 수로와 일치하도록 하여야 한다.
③전2항의 규정은 다른 관습이 있으면 그 관습에 의한다.

제229조는 제1항부터 기괴한 단어가 나옵니다. '구거', '대안'… 솔직히 좀 문제가 있는 단어들입니다. 왜냐하면, 일상생활에서 아무도 이런 말을 안 쓰거든요. 보다 쉬운 단어로 개정이 필요한데, 아직까지(2024년 1월 기준) 개정이 안 되고 있습니다.

제229조와 관련된 에피소드도 있습니다. 故 노회찬 의원은 2005년 국정감사에서 '구거', '수류지' 같은 단어를 예시로 들며 퀴즈를 내고, 알기 쉬운 법률 용어 정비가 필요하다는 의견을 제시했던 적이 있습니다(노컷뉴스, 2005). 심심할 때 참고로 첨부해 둔 기사 링크를 따라가 읽어 보시면 나름대로 재미있을 겁니다.

'구거'(溝渠)는 '봇도랑 구'에 '도랑 거'의 한자로, 도랑이라는 의미입니다. '수류지'(水流地)의 경우 국어사전에서도 찾아보기 힘든 단어인데요. '물이 흐르는 땅' 정도로 해석하면 될 듯합니다. '대안'(對岸)이란 '대할 대'에 '언덕 안'의 한자로, 바다나 강 따위의 건너편에 있는 기슭 정도로 이해하시면 되겠습니다. 제2항에서의 '양안'(兩岸)은 양쪽 기슭 정도의 뜻이 됩니다.

따라서 제229조제1항을 풀어쓰면, 도랑이나 그밖에 물이 흐르는 땅의 소유자는, 그 건너편의 기슭 땅이 남의 것일 때에는 그 물길의 폭을 함부로 바꾸지 못한다는 것입니다. 왜 이런 규정을 두고 있을까요? 일단 아래 그림을 봅시다.

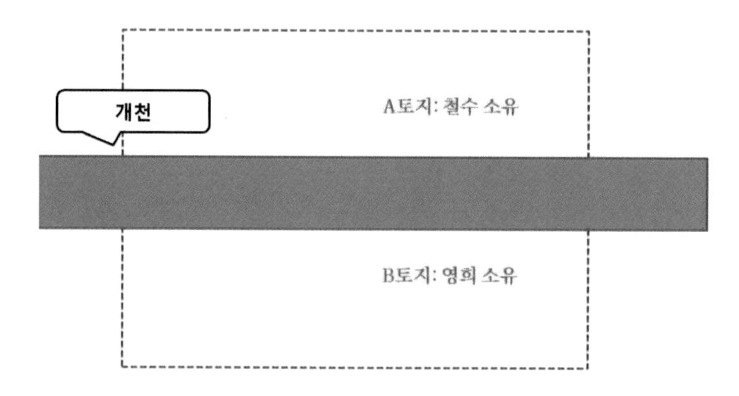

이 그림에서 개천이 흐르고 있고, A토지는 철수가 소유하고 있습니다. 그런데 철수의 땅 건너편에 있는 땅은 철수가 아닌 영희가 소유하고 있습니다(B토지).

만약 이러한 경우에 철수가 마음대로 개천의 폭을 바꾸거나 하게 되면, 수심에 변동이 일어나서 영희의 땅 쪽으로 흐르는 물줄기가 줄어들 수도 있고 토지 이용에 악영향을 미칠 수도 있습니다(김준호, 2017). 그래서 이를 제한하는 것입니다.

반면, 흐르는 물 양쪽의 토지 모두가 철수의 것이라고 해봅시다. 그러면 딱히 철수가 개천의 폭을 공사해서 바꾸더라도 다른 누군가의 물 이용 권리를 침해하지는 않을 것입니다.

그래서 제2항에서는 (제1항에서와 달리) 그런 경우에는 폭을 바꿀 수 있다고 정하고 있는 겁니다. 이해가 되시나요? 물론, 제2항에 따라 수로의 폭을 바꾸거나 하더라도 하류(下流)에서는 자연의 수로와 일치하도록 하여야 합니다. 자연적인 수로를 아예 망쳐버려서는 안 되니까요.

마지막으로 제3항에서는, 제1항과 제2항에도 불구하고 만약 이와 다른 내용의 관습이 있다면 그에 따를 수 있도록 하고 있습니다. 관습의 중요성과 의미에 대해서는 앞서 설명드린 바가 있으므로, 넘어가도록 하겠습니다.

한 가지 주의할 것은, 우리의 판례는 "민법 제229조제2항이 '양안(兩岸)의 토지가 수류지(水流地) 소유자의 소유인 때에는 소유자는 수로와 수류의 폭을 변경할 수 있다'고 규정한 것은 대안(對岸)의 수류지 소유자 관계에서 수류이용권(水流利用權)을 규정한 것으로서, 이는 위와 같은 경우 수류지 소유자는 수로와 수류의 폭을 변경하여 물을 가용 또는 농·공업용 등에 이용할 권리가 있다는 것을 의미함에 그치고, 더 나아가 수로와 수류의 폭을 임의로 변경하여 범람을 일으킴으로써 인지(隣地) 소유자에게 손해를 발생시킨 경우에도 면책된다는 취지를 규정한 것이라고 볼 수는 없다."라고 하여(대법원 2012. 4. 13. 선고 2010다9320 판결), 설령 수로의 폭을 변경할 수 있다고 하더라도 그로 인해서 범람 등을 일으켜 이웃 땅 소유자에게 피해를 발생시켰다면 그 책임이 없어지는 것은 아니라고 판시했다는 점입니다. 수로의 폭을 변경할 수 있다는 말과 수로의 폭을 변경하여 남에게 손해를 입혀도 좋다는 말은 다르니까요.

정부에서 국회에 제출한 민법 일부개정법률안(의안번호 2021928)에서는 제229조의 표현을 순화하고 있는데, 다음 장에 첨부하였으니 참고삼아 읽어 보시면 좋을 듯합니다. 내일은 둑의 설치와 이용에 대해 알아보겠습니다.

*참고문헌

김준호, 민법강의, 법문사, 2017, 제23판, 606면.

노컷뉴스, 〈노회찬 의원의 "법전 용어 퀴즈"〉, 2005. 10. 10.자, https://www.nocutnews.co.kr/news/93422, 2023. 1. 12. 확인.

현 행	개 정 안
第229條(水流의變更) ①溝渠其他水流地의所有者는對岸의土地가他人의所有인때에는그水路나水流의幅을變更하지 못한다	제229조[수류(水流)의 변경] ① 도랑이나 그 밖에 물이 흐르는 토지의 소유자는 건너편 기슭의 토지가 타인의 소유인 경우에는 그 수로나 수류의 폭을 변경하지 못한다.
②兩岸의土地가水流地所有者의所有인때에는所有者는水路와水流의幅을變更할수있다 그러나下流는自然의水路와一致하도록하여야한다	② 물이 흐르는 토지의 소유자가 양쪽 기슭의 토지를 소유한 경우에는 수로나 수류의 폭을 변경할 수 있다. 다만, 하류는 자연의 수로와 일치하도록 해야 한다.
③前2項의規定은다른慣習이있으면그慣習에依한다	③ 제1항이나 제2항과 다른 관습이 있으면 그 관습에 따른다.

제230조(언의 설치, 이용권)

①수류지의 소유자가 언을 설치할 필요가 있는 때에는 그 언을 대안에 접촉하게 할 수 있다. 그러나 이로 인한 손해를 보상하여야 한다.
②대안의 소유자는 수류지의 일부가 자기소유인 때에는 그 언을 사용할 수 있다. 그러나 그 이익을 받는 비율로 언의 설치, 보존의 비용을 분담하여야 한다.

오늘도 역시 낯선 단어와 함께합니다. 역시 상린관계 규정답습니다. 기대를 저버리지 않네요. '언'라는 말이 나옵니다. '언'(堰)이란 '방죽 언'의 한자로, '둑'이라는 말입니다. 요즘 세상에 둑을 '언'이라고 말하면 누가 알아들을지 모르겠습니다. 제 생각에 법대 교수들도 일상생활에서 이런 단어 쓰지 않을 것입니다.

어쨌든 제230조제1항을 봅시다. 제1항의 의미는 물이 흐르는 땅의 소유자가 둑을 설치할 필요가 있을 때에는 그 둑을 대안(지난번에 말씀드렸던 단어입니다. '건너편 기슭' 정도로 해석하면 되겠습니다)에 접하게 만들 수 있는 권리가 있다는 것입니다.

역시나 남의 땅에 붙여서 둑을 설치할 수 있다는 내용이므로, 상대방 입장에서는 억울할 수 있기 때문에 제1항 단서에서는 '손해를 보상'할 것을 명시하고 있습니다. 공평을 기하고자 하는 민법의 태도가 이번에도 엿보입니다.

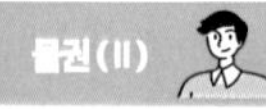

제2항을 봅시다. 건너편 기슭 땅의 소유자는 물이 흐르는 땅의 일부가 자기 소유인 때에는 제1항에서 만든, 즉 남이 지은 둑을 사용할 수 있습니다. 물론 여기서도 공평을 기해야 하기 때문에 이익을 얻는 비율에 따라서 둑의 설치 및 보존에 필요한 비용을 부담하도록 하고 있습니다.

어제에 이어 물의 이용에 관한 조문을 살펴보았는데요, 좀 근본적인 측면에서 한번 생각을 해봅시다. 도대체 제229조와 제230조 같은 조문들이 있는 이유는 뭘까요?

현재도 그렇지만 농업에서 가장 중요한 것 중 하나가 물의 이용이라고 할 수 있습니다. 그만큼 물의 이용과 둑의 건설 등과 관련된 문제는 특히 예전에는 일상생활에서 굉장히 중요한 문제였습니다.

그래서 민법에서는 어떠한 경우에 수로나 수류의 폭을 변경할 수 있는지, 둑을 붙여서 만들 수 있는지 등에 대해서 열심히 규정하고 있는 것입니다. 의미가 있으니까 만든 규정인 거지요.

오늘은 둑의 설치와 이용에 대해 알아보았습니다. 내일은 공유하천용수권에 대해서 공부하겠습니다.

제231조(공유하천용수권)

①공유하천의 연안에서 농, 공업을 경영하는 자는 이에 이용하기 위하여 타인의 용수를 방해하지 아니하는 범위내에서 필요한 인수를 할 수 있다.

②전항의 인수를 하기 위하여 필요한 공작물을 설치할 수 있다.

오늘 공부할 내용은 상린관계 규정 중에서도 상당히 중요한 내용이기 때문에, 중점적으로 다루도록 하겠습니다. 공유하천용수권(公有河川用水權)이란 공유하천의 연안에서 농업이나 공업을 경영하는 사람이 이에 이용하기 위해서 공유하천으로부터 '물 끌어오기'(인수)를 할 수 있고(제1항), 그러한 '물 끌어오기'를 하기 위해서 필요한 공작물을 설치(제2항)할 수 있는 권리를 말합니다. 한번 제231조를 찬찬히 읽어 보면서 의미를 이해해 보시기 바랍니다.

*공유하천이란, 사유하천이 아닌 것으로서, 공천인지 사천인지의 구분은 그 수류지의 소유권 귀속에 따라 판단하는 것이 아니라고 합니다. 특정한 사인(私人)에게 그 유수의 배타적 지배를 허용하여도 공공의 이해에 영향이 없으면 사천으로 보고, 그 외의 것을 공천으로 본다는 것입니다(정우현, 2009).

본격적으로 이 권리에 대해 공부하기 전에, 수리권(水利權)의 개념에 대해 공부하고 지나갑시다. '수리권'이란 물로부터 이익을 얻는 권리라고 직역할 수 있는 단어인데, 법학에서는 물을 지속적이고 배타적으로 사용할 수 있는 권리를 뜻합니다. 여기서 '소유'가 아니라 '사용'이라는 단어를 사용했다는 점에 주목하세요. 소유할 수 있는 권리가 아닙니다. 사용할 수 있는 권리입니다.

*수리권은 '용수권'(用水權)이라고도 합니다. 실제로 내일 공부할 제232조에서는 용수권이라는 표현을 쓰고 있습니다.

이러한 수리권에 대해서는 여러 법률에서 규율하고 있어 종류도 다양합니다. 그중 대표적인 것이 바로 우리가 공부하는 「민법」에 따른 공유하천용수권, 「하천법」에 따른 하천유수점용권(허가수리권), 「댐 건설 및 주변지역 지원 등에 관한 법률」에 따른 댐 사용권 등입니다(김정곤·이진희, 2013). 예를 들면 「하천법」에서는 아래와 같은 조문을 통해 하천유수점용권을 명문화하고 있습니다.

하천법

제33조(하천의 점용허가 등) ①하천구역 안에서 다음 각 호의 어느 하나에 해당하는 행위를 하려는 자는 대통령령으로 정하는 바에 따라 하천관리청의 허가를 받아야 한다. 허가받은 사항 중 대통령령으로 정하는 중요한 사항을 변경하려는 경우에도 또한 같다.

1. 토지의 점용

(이하 생략)

그런데 수리권에 대해서는 여러 법률에서 서로 다른 종류의 권리를 규정하고 있음에도 불구하고, 그 규율의 범위가 중복되거나 권리

간의 우선순위 등에 대해서는 명확하지 않은 측면이 있어 학계에서 오랜 논란이 되어 오고 있습니다. 특히 민법상의 수리권과 하천법상의 수리권의 관계에 대해서도 학자 간에 이견이 많습니다. 여하튼 수리권 파트는 말도 많고, 법률도 많고 내용도 복잡해서 공부할 때 참 머리를 아프게 하는 부분입니다.

자, 다시 공유하천용수권으로 돌아가 봅시다. 이 권리의 경우 아주 예전부터 우리나라에 관습상으로 존재해 오던 것이었다고 합니다. 옛날 농촌 이런 곳에서 공유하천 근처에서 농사를 짓던 사람은 그 하천에서 물을 끌어다가 농사에 쓰곤 했는데, 이런 것이 특히 일제의 조선고등법원 판례에 의하여 인정되었던 것입니다. 그랬던 것을 광복 이후 우리나라의 민법을 제정하면서 제231조에 명문화한 것이지요(박동열, 2013).

이런 연혁에 비추어, 공유하천용수권이 지역사회의 관행을 기초로 이해관계자 사이의 분쟁과 협의·조정을 거쳐 확립된 관행수리권이라고 하기도 하며, 이에 대비하여 하천법에 따라 정부에서 허가를 내주어서 생기는 수리권을 허가수리권이라고 분류하기도 합니다. 아주 오래된 관습이 우리 민법에까지 영향을 미친 모습을 보면, 법학에서도 연혁이라는 것이 얼마나 중요한 것인지 생각해 보게 됩니다.

*민법상의 공유하천용수권 외에 별도의 관행수리권이 민법 제234조에 따라 인정되는지에 대해서는 그렇다는 견해도 있고 그렇지 않다는 견해도 있습니다(전경운·강태수, 2018).

그렇다면 공유하천용수권을 인정받기 위한 요건은 무엇이 있을까요? 하나씩 살펴봅시다. 이하의 요건에 관한 설명은 전경운·강태수(2018)을 참조하여 인용하였습니다.

1. 공유하천의 연안에서 농업이나 공업을 경영하는 사람이어야 한다.

제231조제1항은 농업과 공업을 함께 언급하고 있지만, 실제 이 조문은 거의 농업과 관련되어 사용되고, 또 요즘 세상에 물레방아 같은 재래식 소규모 공업 같은 것이 예전처럼 흔하지는 않으므로, 우리가 생각하는, 엄청 큰 기계가 막 돌아가는 공장을 운영하는 사람이 이 조문을 이용하게 되는 경우는 많지 않을 거라 생각됩니다.

2. 공유하천으로부터 상당한 기간 동안 계속적·반복적으로 물을 끌어다 썼어야 한다.

이건 사실 조문에 명확히 나와 있는 요건은 아닙니다. 하지만 우리가 위에서 공부하였듯이, 제231조는 지역사회에서의 관행에 기초하여 탄생한 조문이고, 관행수리권으로도 불리는 만큼 '관행이 존재할 것'을 요건으로 하는 것이 이상하지 않으며, 대체로 학설도 그렇게 보고 있는 듯합니다(물론, 반대 견해도 있습니다).

한 가지 주의할 것은, '공유하천'이라고 하고 있지요. 공유하천이 아닌 데서 물을 끌어다 쓴 경우는 인정이 안된다는 겁니다. 예전에 우리의 「하천법」에서는 하천을 국유로 한다고 명시하고 있었으나, 2007년 하천법이 개정되면서 국유제가 폐지되었습니다.

그러나 아직도 「하천법」은 하천이 공공의 이해에 밀접한 관계가 있음을 명시하고 있기는 합니다. 그러면 이런 생각이 들 수 있습니다. "그럼 하천법에 따르면 모든 하천이 공유하천 아닌가요? 민법 제231조에서 굳이 공유하천이란 표현을 쓸 이유가 있나요?"

하천법

제2조(정의) 이 법에서 사용하는 용어의 정의는 다음과 같다.

1. "하천"이라 함은 지표면에 내린 빗물 등이 모여 흐르는 물길로서 공공의 이해에 밀접한 관계가 있어 제7조제2항 및 제3항에 따라 국가하천 또는 지방하천으로 지정된 것을 말하며, 하천구역과 하천시설을 포함한다.

일단 「민법」 자체가 「하천법」보다 몇 년 앞서 만들어졌기에 「민법」이 처음 만들어질 때에는 「하천법」의 저런 규정을 고려할 수는

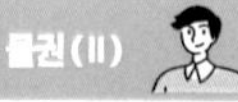

없었고, 또 「하천법」에서의 '하천' 개념과 「민법」에서의 '공유하천' 개념은 다른 개념이라고 합니다(전경운·강태수, 2018:331면).

특히 하천법에 따라 국가하천이나 지방하천으로 지정되지 아니한 개천이나 도랑 같은 경우에는 「하천법」상의 '하천'은 아니지만 「민법」 제231조에서 말하는 '공유하천'은 될 수 있다는 겁니다. 법률에 따라서 같은 단어(하천)라도 그 범위와 의미가 다를 수 있다는 점, 조심하시기 바랍니다.

어쨌건 공유하천이 아니라 개인 소유의 땅에 있는 못이나 늪 등에서 물을 끌어다 쓴 경우에는 공유하천용수권이 인정되기 어려울 것입니다.

우리의 판례 역시 "가사 장구한 시간 동안 평온, 공연하게 지소로부터 관개용의 물을 대어 써 왔다 할지라도 이 지소가 사유지에 속하여 있는 이상 그러한 사실만으로서는 곧 위의 지소의 물을 사용할 수 있는 용수권(지역권)을 법률상 취득한다고는 볼 수 없고 또 그러한 한국의 관습법도 없다."라고 하여 같은 입장입니다(대법원 1967. 5. 30. 선고 66다1382 판결).

3. 다른 사람의 물 사용을 방해하지 아니하여야 한다.

제아무리 공유하천용수권이 인정된다고 하더라도, 다른 사람의 물 사용(용수)을 방해해서는 안된다고 제1항은 명시하고 있습니다. 상식적으로 타당한 내용입니다. 내게 권리가 있다고 공유하천이 말라비틀어질 정도로 물을 끌어다 쓰면 되겠습니까.

4. 하천법 등 공법상의 허가를 받아야 한다(?)

이 부분은 조금 특수한 요건인데요, 학자에 따라 이를 공유하천용수권의 요건으로 보는 사람도 있고, 안 보는 사람도 있습니다. 그래서 위에 (?)라고 표기를 해둔 겁니다.

다소 복잡한 내용이지만, 짤막하게라도 소개하고 넘어가도록 하겠습니다. 학자들의 의견은 서로 다릅니다. 「민법」상의 공유하천용수권도 「하천법」이 시행된 후부터는 「하천법」상의 허가를 받아야 하지만, 「하천법」상의 점용허가는 단지 「민법」에 대해 성립한 권리에 대한 확인적 성격만을 지닐 뿐이라는 견해가 있는 반면(김동건, 2004), 판례의 태도를 분석하면 대법원은 「하천법」 시행 이후에도 「하천법」에 의한 해당 관청의 허가 없이도 공유하천용수권을 취득할 수 있다는 견해로 보인다고 하면서, 「하천법」 시행 이후에는 공유하천용수권 취득을 위해 「하천법」 등 공법상의 허가가 필요하다는 주장에 문제가 있다는 반대의견도 있습니다(전경운·강태수, 2018:333-337면).

또한, 「하천법」 등이 제정·공포된 이후에 용수권을 취득하려는

사람이라면, 「민법」에 따른 요건뿐 아니라, 「하천법」 이나 「공유수면관리법」에 따른 요건까지 모두 갖추었을 때 공유하천용수권이 인정된다고 보아야 한다는 견해도 있습니다(박종찬, 2006; 정우형, 2008: 461면).

여기서는 이런 내용은 참고로만 읽어 보시고, 다만 학설의 대립이 있다는 정도만 기억하고 넘어가셔도 충분합니다.

지금까지 우리는 수리권에 관련한 법률과 공유하천용수권의 연혁, 성립요건에 대하여 간단히 알아보았습니다. 그런데 이렇게 우리 민법에 의하여 인정된 공유하천용수권에 대해서는 한 가지 논쟁이 더 있습니다. 그건 바로 이게 독립된 물권이냐, 아니냐는 건데요. 우리는 물권법을 처음 시작하면서 '물권 법정주의'에 대해 공부한 바 있습니다.

제185조(물권의 종류) 물권은 법률 또는 관습법에 의하는 외에는 임의로 창설하지 못한다.

그러니까 결국 민법 제231조가 바로 '법률로 물권을 창설하는' 조문인지 아닌지를 놓고 논란이 있는 건데요, 제231조에서 '이건 물권이다'라고 명시해 놨으면 뭐 확실했겠지만 그렇지는 않은 상황이지요.

여기에 대해서는 상린관계를 규율하기 위한 권리로서, 토지소유권의 권능에 포함되는 것에 불과하는 견해와, 그것이 아니라 아예 별도의 독립된 물권으로 보아야 한다는 견해가 대립하고 있습니다(김준호, 2017; 이광야, 2007). 어느 의견이 타당한지는 참고문헌 등을 읽어 보시고 스스로 생각해 보시면 좋을 듯합니다.

오늘은 수리권과 공유하천용수권에 대해 알아보았습니다. 우리 민족이 수천 년간 벼농사를 지어 왔고, 그만큼 물의 이용을 어떻게 규율하여야 하는지에 대해서도 많은 고민을 해왔다는 것을 알 수 있었습니다. 또한, 그런 고민들이 우리도 모르는 사이에 민법의 조문에 녹아 있다는 것도 알 수 있었지요. 특히 물권편의 상린관계 규정에는 그런 내용이 많습니다. 이런 것을 생각하면서 읽으시면 더 도움이 될 것입니다.

내일은 하류 연안의 용수권 보호에 대해 공부하겠습니다.

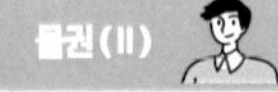

*참고문헌

김동건, “수리권제도-하천의 수리권을 중심으로”, 「환경법연구」 제26권 제2호, 2004, 59면.

김정곤·이진희, “수리권을 고려한 유역물관리 모형의 구축방향”, 「물과 미래」 제46권 제5호, 2013, 65면.

김준호, 「민법강의(제23판)」, 법문사, 2017, 607면.

박동열, “물법의 진화와 그 방향-미국 수리권의 진화와 공공신탁이론의 전개과정을 중심으로-”, 「저스티스」 통권 제139호, 2013, 87-88면.

박종찬, “水法에 관한 硏究”, 「강원법학」 제23권, 2006, 49-50면.

이광야, 「농업용수의 효율적 이용 및 배분을 위한 수리권 조정 연구」, 한국농촌공사, 2007, 16면.

전경운·강태수, “민법상 공유하천용수권에 관한 약간의 고찰”, 「환경법연구」 제40권제2호, 2018, 322-323면.

정우형, “用水權法理에 관한 再檢討”, 「한양법학」 제20권제3집, 2008, 456면.

제232조(하류 연안의 용수권보호)

전조의 인수나 공작물로 인하여 하류연안의 용수권을 방해하는 때에는 그 용수권자는 방해의 제거 및 손해의 배상을 청구할 수 있다.

우리는 어제 공유하천용수권에 대해 공부하였지요. 제232조는 바로 그 용수권을 행사하여 물을 끌어다 쓰거나 공작물을 설치하였는데, 그러한 행위가 다른 사람의 용수권을 방해하는 경우를 다루고 있습니다.

어제 공부한 제231조를 다시 한번 읽어 보면, 어디까지나 타인의 용수를 방해하지 아니하는 범위 내에서 물을 끌어 쓸 수 있다고 정하고 있다는 것을 알 수 있습니다. 그런데 그러한 범위를 넘어섰다면? 제232조는 이에 대한 답을 줍니다.

넘지 말아야 할 범위를 넘어선 경우에는, 용수권의 방해를 받은 사람은 그 방해를 제거할 것 혹은 손해를 배상할 것을 청구할 수 있다는 것이 제232조의 내용입니다. 어찌 보면 상식적으로 당연히 납득가는 내용이기도 합니다.

내일은 용수권의 승계에 대하여 알아보겠습니다.

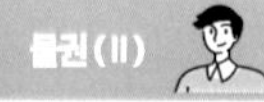

제233조(용수권의 승계)

농, 공업의 경영에 이용하는 수로 기타 공작물의 소유자나 몽리자의 특별승계인은 그 용수에 관한 전소유자나 몽리자의 권리의무를 승계한다.

이상한 표현이 나옵니다. '수로', '용수권' 정도의 단어는 그래도 그간 한 번씩 맛보았기 때문에 알겠는데, '몽리자'라는 단어는 매우 낯설게 느껴집니다. '몽리자'(蒙利者)란 시설을 이용하는 사람, 즉 이용자라는 뜻입니다. '몽'은 '입을 몽'이고 '리'는 '이익 리'의 글자인데요, 결국 이익을 보는 사람을 뜻하는 말인데 지금은 그 누구도 쓰지 않는 단어여서, 역시나 민법 개정 시에 필히 바뀌어야 할 표현 중 하나로 꼽히고 있습니다. 주변에서 몽리자라는 말 쓰는 사람 있나 한번 보세요.

어쨌거나 제233조의 의미는 이러합니다. 농업·공업의 경영에 이용하는 수로나 그 밖의 공작물을 소유한 사람 또는 그것을 이용하는 사람으로부터 땅을 특별승계한 사람의 경우 그 용수에 관한 권리의무도 승계한다는 것입니다.

'특별승계'의 의미에 대해서는 [민법총칙] 제169조 파트에서 다루었는데요, 기억이 잘 안 나는 분들은 복습하고 오셔도 좋겠습니다. 특정승계란 특정한 원인에 의하여 권리의무를 이어받는 것이고, 대표적인 원인으로 매매가 있다고 공부했었지요.

이해가 잘 안 갈 수 있으니 예를 들어 보겠습니다. 여기 철수가 땅을 가지고 있고, 근처에 물이 흐르고 있어서 거기로부터 물을 좀 끌어 밭농사에 쓰고 있었다고 합시다. 정당한 용수권에 기해서요. 철수는 물을 끌어 쓰기 위해 수로를 설치하고 몇 가지 시설을 만들어 썼습니다.

세월이 흘러 철수가 이제 나이도 들고 기력이 없어져서, 더는 밭농사를 지을 수가 없게 되었습니다. 그래서 철수는 농사짓던 땅을 영희에게 팔았습니다. 이제 영희는 그 땅의 새로운 소유자입니다. 영희는 철수가 농사짓던 밭을 더 멋지게 키워서 차세대 청년 유망 농업인이 되려는 야심을 품고 있습니다.

그런데 만약 제233조 같은 규정이 없고, 승계가 되지 않는다고 해석해 버린다면, 영희는 철수의 용수권, 철수가 설치한 수로와 각종 시설을 이어받지 못하게 되어 버립니다. 그러면 영희는 청년 유망 농업인이 되는 데 큰 지장이 생깁니다. 제233조는 바로 그런 영희를 보호하고 있는 거지요.

한편, 우리의 판례는 "본조의 규정은 공유하천의 용수권에만 적용되는 것은 아니다"라고 하여, 민법 제233조의 규정은 공유하천용수권에만 적용되는 것이 아니라 계약에 따라서 인정되는 용수권에 대해서도 적용되는 것이라고 한 바 있습니다(대법원 1968. 3. 26. 선고 67다2866 제3부 판결). 즉 위의 사례에서 철수가 행사한 권리가 공유하천용수권이 아니라, 다른 토지 소유자와의 계약으로 따낸

용수권이더라도 제233조가 적용될 수 있다는 겁니다.

여담으로 하나 말씀드리겠습니다. 어제 공유하천용수권이 과연 별도로 독립하여 민법에 의해 규정된 물권인지 아닌지에 대해서 논란이 있다고 했었는데요.

공유하천용수권이 독립된 물권이기는 한데, 단지 토지소유권에 따라가는 '종된' 권리에 불과하다고 보는 견해(이 견해에서는 공유하천용수권을 법정지역권으로 보고 있습니다. 지역권에 대해서는 추후 공부할 것이므로, 여기 내용은 그냥 넘어가셔도 됩니다)에 따르면, 위의 사례에서처럼 토지소유권이 철수에게서 영희로 넘어가는 경우에는 당연히 종된 권리도 따라서 넘어가게 되는 것이 되므로, 제233조는 당연한 것을 규정한 것에 불과한 조문이 됩니다(전경운·강태수, 2018). 이게 과연 맞는 견해인지는 스스로 생각해 보시기 바랍니다.

오늘은 용수권의 승계에 대하여 알아보았습니다. 내일은 용수권과 관습에 대하여 공부하겠습니다.

*참고문헌

전경운·강태수, "민법상 공유하천용수권에 관한 약간의 고찰", 「환경법연구」 제40권 제2호, 2018, 325-342면.

제234조(용수권에 관한 다른 관습)

전3조의 규정은 다른 관습이 있으면 그 관습에 의한다.

일단 우리가 지금까지 공부한 제231조부터 제233조까지의 규정을 복습 차원에서 한번 다시 읽어 봅시다.

제234조는 위의 3개의 규정의 경우 그와 다른 관습이 존재하는 때에는 그 관습을 따르라고 말하고 있습니다. 관습의 의미에 대해서는 [민법총칙]에서도 공부했고, 제229조(수류의 변경)를 공부할 때도 확인했었지요. 기억이 잘 안 나는 분들은 복습하고 오셔도 좋겠습니다.

그런데 제234조에 대해서는 논란이 좀 있습니다. 이상돈(2001)은 제234조에서 관습이 민법상의 용수권에 우선한다고 규정하였다는 점에서 '관습법은 실정법을 보충한다'는 민법 제1조의 예외라고 보면서, 이 규정이 일제시대 조선고등법원의 판례를 수용하여 민법에 도입된 것으로 분석하였습니다.

그리하여 결국 민법에서 정하는 '공유하천용수권'과는 다르게 관습에 따라 인정되는 수리권, 즉 관행수리권이라는 별도의 권리를 제234조가 인정하고 있다고 보는 견해인 것입니다.

제1조(법원) 민사에 관하여 법률에 규정이 없으면 관습법에 의하고 관습법이 없으면 조리에 의한다.

반면, 위의 주장과는 달리 제234조가 공유하천용수권과 아예 '다른' 관행수리권을 인정한 규정으로 보기는 어렵고, 단지 민법에 따라 정해진 공유하천용수권의 내용과 다른 내용이 관습에 있으면 그걸 따르면 된다는 정도의 의미로 입법한 것이라고 보는 견해도 있습니다(전경운·강태수, 2018).

이러한 학설의 대립은 지금 단계에서 필히 꼭 짚고 기억해 두어야 할 것은 아니니까 그냥 이런 내용이 있는가보다 하고 넘어가셔도 좋습니다.

오늘은 용수권과 관습의 관계에 대하여 알아보았습니다. 내일은 공용수의 용수권에 대하여 공부하도록 하겠습니다.

*참고문헌

이상돈, "수리권 제도 개선에 관한 연구", 「법조」 제50권 제12호, 2001, 60-61면.

전경운·강태수, "민법상 공유하천용수권에 관한 약간의 고찰", 「환경법연구」 제40권제2호, 2018, 323-324면.

제235조(공용수의 용수권)

상린자는 그 공용에 속하는 원천이나 수도를 각 수요의 정도에 응하여 타인의 용수를 방해하지 아니하는 범위내에서 각각 용수할 권리가 있다.

'상린자'는 우리가 지금껏 사용한 '상린'이라는 표현에서 유추할 수 있듯, 서로 이웃한 사람들을 말합니다. '공용수'(共用水)는 함께 쓰는 물을 말하지요. 공(公)의 글자가 아니라는 점 주의하시기 바랍니다. '수도'(水道)는 지하에서 물을 퍼내거나 끌어 쓰기 위한 시설 정도로 생각하면 되겠습니다.

그런데 '원천'의 의미에 대해서는 좀 더 깊이 생각해 볼 필요가 있습니다. 일단, 원천(源泉)은 물이 솟아나는 근원지를 말합니다. 하지만 이렇게만 설명하면 좀 모호합니다. 구체적으로 어떤 것을 '원천'이라고 보는 걸까요?

이에 대해서는 단순히 지하에서 자연적으로 솟아나는 샘에 한정하여 판단하는 견해도 있는 반면, 자연적으로 솟아나는 샘과 인공적으로 물을 용출하는 우물까지 포함해서 판단하는 견해도 있습니다. 대체로 학설은 인공적인 우물까지 포함해서 해석하는 것으로 보입니다(김재형, 2005).

자, 그럼 이제 각각의 단어를 확인하였으니 제235조를 읽어 봅시

다. 제235조는 서로 이웃하는 사람들 간에는 '함께 쓰는' 원천이나 수도(水道)로부터 각자 필요한 정도에 따라 물을 사용할 수 있는 권리가 있다고 말합니다. 물론, '타인의 용수를 방해하지 않는 범위'라는 조건을 달고 있는데 이 부분은 쉽게 공감하시리라 생각합니다.

이러한 권리를 공용수 용수권(조의 제목이기도 합니다)이라고 하는데, 이는 이웃한 사람들 간의 오래된 관행에 의하여 성립하기도 하고, 혹은 원천이나 수도를 본래 소유한 사람과의 계약을 통해서 성립하기도 합니다(김용담, 2011). 어떤 경우건 타인의 용수를 방해하지 않는 범위 내에서의 이야기입니다.

다만, 판례는 "온천에 관한 권리는 관습상의 물권이나 준물권이라 할 수 없고 온천수는 공용수 또는 생활상 필요한 용수에 해당되지 않는다"라고 하여, 온천수의 경우에는 제235조에서 말하는 공용수에 해당하지 않는 것으로 보고 있으니 참고하시기 바랍니다(대법원 1972. 8. 29. 선고 72다1243 판결).

추가로, 우리가 지난번 제231조에서 '공유하천용수권'에 대해 공부하면서 이 권리가 독립된 물권인지 아닌지, 어떤 성질의 것인지 논란이 있었다고 했는데요. 오늘 공부한 공용수 용수권의 경우에도 비슷한 논의가 있습니다.

어떤 견해는 이러한 공용수 용수권(원천·수도용수권이라고도 합니다)이 토지소유자가 아닌 사람에게 속하는 수도 있으므로 토지소유권과는 독립된 것으로 민법이 인정하는 물권으로 보기도 합니다.

반면, 어떤 사람은 이를 독립된 물권이 아니라 그냥 상린관계를 규율하는 내용 중 하나로 보기도 하고요(김용담, 2011). 어느 견해가 타당한지는 참고문헌 등을 읽어 보시고 스스로 생각해 보시기 바랍니다.

오늘은 공용수를 이용할 수 있는 권리에 대하여 알아보았습니다. 내일은 용수장해의 공사 등에 대하여 공부하도록 하겠습니다.

*참고문헌

김재형, "토지와 물:지하수 이용권에 관한 방해배제청구권", 「서울대학교 법학」 제46권 제2호, 2005, 385면.

김용담 편집대표, 「주석민법 물권1(제4판)」, 한국사법행정학회, 2011, 652-653면.

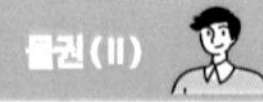

제236조(용수장해의 공사와 손해배상, 원상회복)

①필요한 용도나 수익이 있는 원천이나 수도가 타인의 건축 기타 공사로 인하여 단수, 감수 기타 용도에 장해가 생긴 때에는 용수권자는 손해배상을 청구할 수 있다.
②전항의 공사로 인하여 음료수 기타 생활상 필요한 용수에 장해가 있을 때에는 원상회복을 청구할 수 있다.

드디어 상린관계 규정에서 [물]의 이용에 관한 마지막 규정입니다. 제221조부터 시작된 물에 대한 규정이 오늘 총 16개 조문으로 마무리됩니다.

제236조제1항은 원천이나 수도를 쓰는 데에 있어서 다른 사람의 행위(건축행위나 공사 등)로 인해서 물이 끊기거나(단수斷水), 물이 줄어드는(감수減水) 문제가 발생하는 경우에는 손해배상을 청구할 수 있다고 정합니다.

다른 사람 때문에 나의 원천·수도 이용에 문제가 생긴다면 억울하겠지요. 이 조항은 기존에 물을 이용하던 사람의 권리를 존중하기 위한 규정이라고 합니다(기존이용권 존중의 원칙).

제2항은 좀 더 특별한 경우를 다루고 있는데요, 그냥 물이 아니라 생활에 필요한 물 같은 중요한 물의 이용에 문제가 생겼을 때에는 원래 장해가 없었던 상태로 되돌려줄 것(원상회복)을 청구할 수 있

도록 하고 있습니다. 바꿔 말하면 생활상 필요한 용수에 장해가 생긴 경우가 아니라면 '단수'나 '감수' 현상이 나타났다고 하더라도 (손해배상 외에) 원상회복을 청구할 수는 없다는 겁니다. 이는 생활용수를 보다 중요하게 여기려는 취지가 반영된 규정이라고 합니다(생활용수우선의 원칙)(김재형, 2005).

오늘은 용수장해의 공사와 손해배상 또는 원상회복청구에 대하여 알아보았는데요, 여담으로 한 가지 생각해 볼 것이 있습니다. 재미로 생각해 보는 것이니 바쁘신 분들은 넘어가셔도 좋습니다.

바로 지하수의 문제인데요, 지하수는 누가 소유권을 갖고, 또 누가 이용권을 갖는 것일까요? 상당히 논점이 많은 부분입니다. 학계에서는 이에 대하여 참 다양한 견해가 나와 있습니다.

과거 우리의 학설은 민법 제212조에 비추어 지하수 역시 토지의 구성 부분이므로 지하수의 소유권 역시 토지소유권에 포함되는 것이고, 따라서 지하수의 이용권 역시 토지소유권의 내용에 포함되는 것이라고 해석했었습니다. 결국 지하수 이용권은 토지소유권이 갖고 있는 여러 권능 중 하나에 불과하다고 보는 것입니다(김홍균, 2006). 실제로 지금도 이런 견해를 취하는 학자들이 많습니다.

제212조(토지소유권의 범위) 토지의 소유권은 정당한 이익있는 범위내

에서 토지의 상하에 미친다.

그런데 이건 민법 외에 지하수를 규율하는 여러 법률들이 등장하면서, 학설에도 지각변동이 커졌습니다. 대표적인 것이 1993년 제정된 「지하수법」입니다.

지하수법
제2조(정의) 이 법에서 사용하는 용어의 뜻은 다음과 같다.
1. "지하수"란 지하의 지층(地層)이나 암석 사이의 빈틈을 채우고 있거나 흐르는 물을 말한다.
제4조(다른 법률과의 관계) 지하수의 조사, 개발 · 이용 및 보전 · 관리에 관하여 다른 법률에 특별한 규정이 있는 경우에는 그 법률에서 정하는 바에 따른다. 다만, 제14조부터 제16조까지의 규정은 그러하지 아니하다.

「지하수법」에서는 지하수의 공공성을 강조하고 있으므로, 종전의 견해에 대해서는 수정이 필요하다는 의견이 나오기 시작한 것입니다. 따라서 「지하수법」의 제정 이후에는 지하수가 토지소유권에 포함된다는 것을 전제로 하되, 공공의 이익을 위하여 일정한 경우에는 소유권 또는 이용권의 일부가 제한될 수 있다고 보는 견해가 일반적이라고 합니다. 물론, 이러한 의견에 반대하고 지하수와 토지를 별개로 보아, 지하수 이용권을 토지소유권과는 별개의 권리로 파악하는 견해도 있습니다(함태성, 2007).

옛날 처음 민법이 제정되던 시기에는 지금만큼 지하수에 대한 큰 관심이 있었던 것 같지는 않습니다. '지하수'라는 단어 자체가 민법에 안 나오고, 우리가 공부한 제235조와 제236조에서도 '원천'이라는 단어로부터 지하수와 관련을 지을 수 있는 정도에 불과하니까요.

그러나 세월이 흘러 지표면 못지않게 지하의 개발도 중요해지고, 지하수에 대한 법적 분쟁이 늘어나면서 지하수의 법적 지위에 대해서도 학자들의 관심이 커진 것 같습니다. 시대의 변화가 법률의 해석에도 영향을 미치게 되는 양상이 재미있습니다.

내일은 경계표와 담의 설치권에 대하여 알아보도록 하겠습니다.

*참고조문

김재형, "토지와 물:지하수 이용권에 관한 방해배제청구권", 「서울대학교 법학」 제46권 제2호, 2005, 388면.

김홍균, "지하수의 공유화", 「인권과정의」 제361호, 2006, 171면.

함태성, 「지하수관련법제 개선방안 연구」, 한국법제연구원, 2007, 18-20면.

제237조(경계표, 담의 설치권)

①인접하여 토지를 소유한 자는 공동비용으로 통상의 경계표나 담을 설치할 수 있다.
②전항의 비용은 쌍방이 절반하여 부담한다. 그러나 측량비용은 토지의 면적에 비례하여 부담한다.
③전2항의 규정은 다른 관습이 있으면 그 관습에 의한다.

어제까지 해서 드디어 물의 이용, 용수권 등에 관한 내용을 마치고 오늘부터는 다시 땅으로 돌아옵니다. 슬슬 물 비린내가 나려고 했는데 잘 됐습니다.

제237조를 봅시다. 제1항에서는 인접해서 땅을 소유한 사람은, 각자 돈을 내서 경계표(境界標) 또는 담을 설치할 수 있다고 합니다. 경계표는 경계를 나타내는 표시를 말하는 것이지요. 여기서 여기까지는 철수네 땅, 여기서 저기까지는 영희네 땅, 이런 식으로 경계를 표시할 수 있습니다.

제2항에서는, 제1항에서 말하는 경계표 또는 담의 설치 비용은 서로 절반씩 공평하게 내야 한다고 정합니다. 다만, 측량을 하는 데 드는 비용은 토지의 면적이 더 넓은 사람이 더 내도록 단서에서 정하고 있습니다.

제3항에서는 제1항과 제2항의 규정에도 불구하고 만약 그와는

다른 내용의 관습이 존재하는 경우 관습에 따르도록 하고 있습니다. 상린관계 규정에서 자주 보았던 조문이므로, 쉽게 이해하시리라 생각합니다.

결국 제237조에 따르면 서로 이웃한 땅에서 한 명의 소유자가 경계표나 담의 설치에 협력할 것을 요구하면, 다른 이웃한 땅의 소유자는 싫어도 여기 응하여야 합니다. 왜냐하면 인접한 땅의 소유자는 제1항에 따라 경계표 또는 담을 설치할 권리를 갖고 있고, 상대방은 이에 협력할 의무가 있기 때문이지요(김준호, 2017).

우리의 판례 역시 "토지의 경계에 경계표나 담이 설치되어 있지 아니하다면 특별한 사정이 없는 한 어느 한쪽 토지의 소유자는 인접한 토지의 소유자에 대하여 공동비용으로 통상의 경계표나 담을 설치하는 데에 협력할 것을 요구할 수 있고, 인접 토지 소유자는 그에 협력할 의무가 있다고 보아야 하므로, 한쪽 토지 소유자의 요구에 대하여 인접 토지 소유자가 응하지 아니하는 경우에는 한쪽 토지 소유자는 민사소송으로 인접 토지 소유자에 대하여 그 협력 의무의 이행을 구할 수 있으며, 법원은 당해 토지들의 이용 상황, 그 소재 지역의 일반적인 관행, 설치 비용 등을 고려하여 새로 설치할 경계표나 담장의 위치(특별한 사정이 없는 한 원칙적으로 새로 설치할 경계표나 담장의 중심 또는 중심선이 양 토지의 경계선 상에 위치하도록 해야 한다), 재질, 모양, 크기 등 필요한 사항을 심리하여 인접 토지 소유자에 대하여 협력 의무의 이행을 명할 수 있다."라고 하여 같은 입장입니다(대법원 1997. 8. 26. 선고 97다6063 판결).

오늘은 경계표와 담의 설치에 대하여 알아보았습니다. 크게 이해하기에 어려운 내용은 없었던 것 같아요. 내일은 담의 특수시설권에 대해 공부하겠습니다.

*참고문헌

김준호, 「민법강의(제23판)」, 법문사, 2017, 609면.

제238조(담의 특수시설권)

인지소유자는 자기의 비용으로 담의 재료를 통상보다 양호한 것으로 할 수 있으며 그 높이를 통상보다 높게 할 수 있고 또는 방화벽 기타 특수시설을 할 수 있다.

어제 공부한 내용에 이어 또 담장에 대한 내용이 나옵니다. 조 제목은 '특수시설권'이라고 해서 굉장해 보이는 네이밍인데 별 것은 없습니다. 그냥 이웃한 땅의 소유자는 더 좋은 재료를 쓰고 더 높게 담을 쌓을 수 있으며, 방화벽 같은 멋들어진 시설을 할 수 있는 권리가 있다는 내용입니다.

사실 기왕 지을 거 더 좋게 짓겠다는데 말릴 이유가 있을까요? 자기가 하고 싶다는데 말릴 이유도 없습니다. 제238조는 상식적으로 당연한 내용을 규정한 것처럼 보이기는 하는데, 여기서 한 가지 문제가 있습니다. 아래의 사례를 생각해 봅시다.

철수와 영희는 서로 이웃한 땅을 각각 소유한 사람입니다. 그런데 어느 날 철수가 보아하니 자기 땅과 영희의 땅이 서로 경계가 불분명해서, 영희네 쪽 사람들이 자기 땅에 잘못 드나들 수도 있겠다는 생각이 들었습니다. 그래서 영희에게 가서 담장을 세우자고 합니다.

영희는 귀찮아서 싫었지만, (어제 공부한) 민법 제237조에 따라 철수의 제안을 거부할 수 없었기 때문에 어쩔 수 없이 설치 비용 절

반을 내서 담장을 설치하기로 합니다.

그런데 철수가 갑자기 담장을 호화롭게 짓는다면서 재료도 대리석으로 하고, 감시카메라도 설치하고 방화벽도 세팅하자는 겁니다. 그렇게 되면 돈이 훨씬 많이 들어가는데, 영희는 절대 그렇게까지 할 생각이 없습니다. 이때에는 비용 분담을 어떻게 해야 할까요?

이런 문제가 있어서 제238조가 있는 것입니다. 제238조에서는 명시하고 있지요. "자기의 비용으로" 라고요. 그래서 위의 사례에서는 당연히 담장을 업그레이드할 것을 주장한 철수가 돈을 더 내야 하는 것입니다. 영희의 억울함을 조금이라도 덜어주는 것이라 할 수 있겠네요.

내일은 경계표 등의 공유추정에 대해 알아보겠습니다.

제239조(경계표 등의 공유추정)

경계에 설치된 경계표, 담, 구거 등은 상린자의 공유로 추정한다. 그러나 경계표, 담, 구거 등이 상린자일방의 단독비용으로 설치되었거나 담이 건물의 일부인 경우에는 그러하지 아니하다.

제239조는 경계표 등의 공유추정에 관한 내용입니다. 경계에 설치된 경계표, 담, 구거(전에 공부한 단어인데, '도랑' 정도로 이해하시면 되겠습니다) 같은 것들은 서로 이웃한 사람들이 공유하는 것으로 추정한다는 내용입니다(*추정의 의미에 대해서는 [민법총칙]에서 공부하였으므로 그냥 지나가도록 하겠습니다).

왜 이런 규정을 두고 있는 걸까요? 이유는 여러 가지가 있습니다. 일단은 대체로 경계에 설치하는 물건은 이웃한 사람이 돈을 함께 내서 만들었을 가능성이 높을 거고요. 또 설치한 후 오랜 시간이 흐르게 되면, 경계에 있다 보니까 소유관계가 불분명해질 수도 있는데 그런 경우에는 일단 이웃한 사람들끼리 공유한다고 보는 게 맞다는 취지인 것입니다(황진구, 2019).

다만, 예외적으로 경계표 등이 한쪽에서 다 돈을 내서 만들어졌다든가, 담장이 아예 건물의 일부인 경우에는 '공유'로 추정해서는 안 되겠지요. 이러면 한쪽이 너무 억울할 수가 있습니다. 특히 담장이 건물의 일부라면, 그 담장은 건물소유자의 것이라고 해야지 이웃한 사람과 공유하는 것이라고 보아서는 안 되겠지요. 제239조 단서는

그런 예외를 정하고 있는 것으로 보입니다.

오늘은 공유추정에 대하여 알아보았습니다. 내일은 수지, 목근의 제거권에 대하여 공부하겠습니다.

*참고문헌

김용덕 편집대표, 「주석민법 물권1(제5판)」, 한국사법행정학회, 2019, 791면(황진구).

제240조(수지, 목근의 제거권)

①인접지의 수목가지가 경계를 넘은 때에는 그 소유자에 대하여 가지의 제거를 청구할 수 있다.
②전항의 청구에 응하지 아니한 때에는 청구자가 그 가지를 제거할 수 있다.
③인접지의 수목뿌리가 경계를 넘은 때에는 임의로 제거할 수 있다.

오늘도 생소한 단어와 함께 하루를 시작해 봅시다. 먼저 조 제목을 볼까요? '수지'(樹枝)란 연예인 이름이 아니고, '나무 수'에 '가지 지'의 글자를 쓰는 단어로, 그냥 '나뭇가지'란 뜻입니다. '목근'(木根)이란 '나무 목'에 '뿌리 근'의 글자로, '나무뿌리'를 뜻하는 말입니다. 참 안 쓰는 단어이긴 합니다.

제1항을 봅시다. 이웃한 땅에서 나뭇가지(심지어 제목에서는 '수지'라고 해놓고, 제1항에서는 '수지' 말고 '수목가지'라는 표현을 쓰고 있습니다. 그냥 우리는 나뭇가지라고 합시다)가 땅 간의 경계를 넘은 때에는 저쪽 땅의 소유자에게 가지를 제거해 줄 것을 청구할 수 있도록 하고 있습니다.

제2항을 봅시다. 여기서는 제1항에 따른 청구에 상대방이 불응할 때에는 청구를 한 사람이 직접 그 가지를 제거할 수 있도록 하고 있습니다.

제3항을 봅시다. 이번에는 제1항과 달리 나뭇가지가 아니라 '나무뿌리'가 경계를 넘은 경우인데요, 이때에는 그냥 임의로 제거할 수 있다고 하고 있습니다.

즉, 나뭇가지의 경우 번거롭긴 하지만 상대방에게 "야, 이거 좀 치워줘라."(제1항)라고 하고 상대방이 불응할 때에서야 그 가지를 제거할 수 있는(제2항) 것인데 반해서, 나무뿌리의 경우에는 굳이 그런 청구 없이도 그냥 제거할 수 있도록, 상대적으로 완화된 규정을 두고 있는 것입니다(제3항).

이에 대해서는 나무뿌리를 더 쉽게 제거할 수 있도록 했다는 점에서, 나뭇가지보다 나무뿌리를 보다 덜 중요한 것으로 평가하고 있다는 해석이 있습니다(김준호, 2017).

"와, 그럼 저쪽 땅에서 나무뿌리가 넘어온 경우에는 아무 말도 없이 그냥 다 잘라 버려도 된다는 거죠? 신난다."

이런 생각을 하실 수 있는데, 그렇게 쉽게만 생각하면 안 됩니다. 제240조에서 말하는 '제거권'이란 결국 인접한 땅의 소유자 간에 소유권을 보장하기 위한 것입니다. 따라서 나에게 별다른 손해도 없었는데 단지 저쪽 땅에서 나무뿌리가 좀 넘어왔다고 해서, 상대방에게 엿을 먹이려는 생각으로 나무뿌리를 모조리 잘라 버릴 경우 권리 남용에 해당할 수 있습니다(한기찬, 2014). 괜히 나쁜 생각은 하지 맙시다.

마지막으로 잘라낸 나뭇가지나 뿌리의 소유권은 그럼 누가 갖느냐 하는 문제가 있을 것인데, 대체로 학설은 아무래도 가지나 뿌리를 제거하는데 노력과 비용을 들인 사람(제거한 사람)이 가져간다고 해석하고 있습니다(곽윤직, 2015). 결국 일률적으로 누구 것이다, 이렇게 단답으로 결론을 내기는 힘들고 사안을 살펴보아야 할 것입니다.

오늘은 수지 제거권에 대하여 알아보았습니다. 내일은 토지의 심굴 금지에 대하여 공부해 보도록 하겠습니다.

*참고문헌

곽윤직, 「물권법」, 박영사, 2015, 256면; 김용덕 편집대표, 「주석민법 물권1(제5판)」, 한국사법행정학회, 2019, 795면(황진구)에서 재인용.

김준호, 「민법강의(제23판)」, 법문사, 2017, 609면.

한기찬, 「재미있는 법률여행」(전자책), 김영사, 2014, [수지 제거권].

제241조(토지의 심굴금지)

토지소유자는 인접지의 지반이 붕괴할 정도로 자기의 토지를 심굴하지 못한다. 그러나 충분한 방어공사를 한 때에는 그러하지 아니하다.

'심굴'(深掘)이란, '깊을 심'에 '팔 굴'의 한자로서 '깊게 판다'는 뜻입니다. 즉, 제241조 제목의 의미는 '땅을 깊게 파는 것 금지'라는 뜻이지요. 땅의 소유자는 제아무리 자기 땅이라고 해도, 이웃한 땅의 지반이 붕괴될 정도로 땅을 깊게 파서는 안된다는 것입니다. 물론 단서에서는 충분한 정도의 '방어 공사'를 한 경우에는 봐주도록 하고 있습니다.

그런데 만약 누군가가 제241조를 무시하고, 자기 땅이라고 굴을 마구 파서 이웃한 땅의 지반에 큰 피해를 주면 어떻게 될까요?

이때에는 이웃한 땅 소유자의 경우, 일단 땅을 파고 있을 때 우리가 공부한 민법 제214조에 근거하여 방해제거청구권이나 방해예방청구권을 행사할 수 있을 거고요, 또 손해가 발생하면 손해배상청구권을 행사할 수도 있을 것입니다. 우리가 한 번씩 봤던 조문들을 한 번 복습하시면서, 이러한 청구권 행사가 가능할 것인지 생각해 보시기 바랍니다.

제214조(소유물방해제거, 방해예방청구권) 소유자는 소유권을 방해하는 자에 대하여 방해의 제거를 청구할 수 있고 소유권을 방해할 염려

있는 행위를 하는 자에 대하여 그 예방이나 손해배상의 담보를 청구할 수 있다.

제750조(불법행위의 내용) 고의 또는 과실로 인한 위법행위로 타인에게 손해를 가한 자는 그 손해를 배상할 책임이 있다.

그래서 사실 제241조가 굳이 없다고 하더라도 땅을 깊게 파서 발생하는 여러 문제를 해결하는 데에 큰 애로사항이 있는 것은 아니기 때문에, 학자들 중에는 제241조가 큰 의미가 있는 것은 아닌, 단지 주의적 규정에 불과하다는 견해도 있습니다(곽윤직, 2015).

내일은 경계선 부근에서의 건축에 대하여 알아보도록 하겠습니다.

*참고문헌

곽윤직, 「물권법」, 박영사, 2015, 256면; 김용덕 편집대표, 「주석민법 물권1(제5판)」, 한국사법행정학회, 2019, 796면(황진구)에서 재인용.

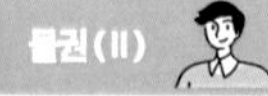

제242조(경계선부근의 건축)

①건물을 축조함에는 특별한 관습이 없으면 경계로부터 반미터 이상의 거리를 두어야 한다.
②인접지소유자는 전항의 규정에 위반한 자에 대하여 건물의 변경이나 철거를 청구할 수 있다. 그러나 건축에 착수한 후 1년을 경과하거나 건물이 완성된 후에는 손해배상만을 청구할 수 있다.

제242조는 서로 이웃한 땅 사이, 즉 경계에서 건물을 지을 때에는 어느 정도 거리를 두어야 하는가에 관하여 다룹니다. 제1항에서는 '특별한 관습'이 없다면 최소 경계로부터 0.5미터 이상 거리를 두어야 한다고 정하고 있습니다.

우리의 판례는 여기서 말하는 〈0.5미터〉의 거리에 대하여 "민법 제242조 제1항이 건물을 축조하면서 특별한 관습이 없으면 경계로부터 반 미터 이상의 거리를 두어야 한다고 규정한 것은 서로 인접한 대지에 건물을 축조하는 경우에 각 건물의 통풍이나 채광 또는 재해방지 등을 꾀하려는 취지이므로, '경계로부터 반 미터'는 경계로부터 건물의 가장 돌출된 부분까지의 거리를 말한다."라고 하여, 그 의미를 명확히 하고 있습니다(대법원 2011. 7. 28. 선고 2010다108883 판결).

사실 자기 땅이라면 자기 마음대로 쓸 수 있다고 보통 생각합니다. 따라서 경계까지의 땅도 당연히 자기 땅인 만큼, 원래대로라면 경계에 붙여서 건물을 지을 수도 있겠지요.

그러나 이렇게 되면 이웃 토지에 악영향을 미칠 수 있고, 서로 건물을 붙일 경우 화재에 취약해지는 등 여러 문제가 있기 때문에 제242조제1항에서는 최소한의 거리를 두도록 하고 있는 것입니다.

또한 제2항에서는 이웃한 땅의 소유자는 제1항의 규정에 위반한 사람에게 건물의 변경 또는 철거를 구할 수 있도록 하고 있습니다. 하지만 건축이 어느 정도 진척된 상태(건축에 착수한 후 1년이 경과한 경우)나 건물이 완성되어 버린 때라면 이를 철거하는 것이 상대방의 큰 손해나 사회경제적인 손실을 불러올 수 있으므로, 제2항 단서에서는 오직 손해배상의 청구만이 가능하다고 정하고 있습니다(황진구, 2019).

다만, 여기서 '착수'의 의미가 다소 모호할 수는 있는데요, 우리의 판례는 "민법 제242조 제1항에서 정한 이격거리를 위반한 경우라도 건축에 착수한 후 1년을 경과하거나 건물이 완성된 후에는 손해배상만을 청구할 수 있을 뿐 건물의 변경이나 철거를 청구할 수 없는데(제242조 제2항), 여기에서 '건축의 착수'는 인접지의 소유자가 객관적으로 건축공사가 개시되었음을 인식할 수 있는 상태에 이른 것을 말하고, '건물의 완성'은 사회통념상 독립한 건물로 인정될 수 있는 정도로 건축된 것을 말하며, 그것이 건축 관계 법령에 따른 건축허가나 착공신고 또는 사용승인 등 적법한 절차를 거친 것인지는 문제되지 아니한다."라고 하고 있으니 참고하시면 좋을 듯합니

다(대법원 2011. 7. 28. 선고 2010다108883 판결). 즉, 이웃한 땅의 주인이 건축공사가 시작되었다는 것을 인식할 수 있는 정도는 되어야 '착수'를 했다고 볼 수 있다는 겁니다.

여기서 한 가지 짚고 넘어갈 것은, 우리의 판례는 "본조의 규정은 서로 인접하여 있는 소유자의 합의에 의하여 법정거리를 두지 않게 하는 것을 금지한다고는 해석할 수 없고, 당사자간의 합의가 있었다면 그것이 명시 또는 묵시라 하더라도 인접지에 건물을 축조하는 자에 대하여 법정거리를 두지 않았다고 하여 그 건축을 폐지시키거나 변경시킬 수 없다고 할 것이다."라고 하여 제242조를 임의규정으로 보고 있다는 점입니다.

지금까지 제242조의 의미와 특징에 대하여 알아보았습니다만, 사실 실제로 건물을 지을 때에는 [건축법]이 따로 있어서 그에 따른 규제가 많이 적용됩니다. 그래서 건물 올리는 사람이 민법 제242조만 보고 일하는 경우는 없죠. 제242조는 [건축법]이 아닌 민법에서 이격거리를 정하고 있는 규정 정도로 알고 넘어가시면 되겠습니다.

내일은 차면시설의무에 대하여 공부하겠습니다.

*참고문헌

김용덕 편집대표, 「주석민법 물권1(제5판)」, 한국사법행정학회, 2019, 801면(황진구).

제243조(차면시설의무)

경계로부터 2미터 이내의 거리에서 이웃 주택의 내부를 관망할 수 있는 창이나 마루를 설치하는 경우에는 적당한 차면시설을 하여야 한다.

제243조는 '차면시설의무'에 관한 내용입니다. '차면시설'(遮面施設)이란, '막을 차'에 '걸 면'의 글자를 쓰며 가림을 위한 시설을 말합니다.

즉, 제243조를 풀어쓰자면 이웃한 땅에서의 경계로부터 2미터 이내의 거리에 창이나 마루 등을 설치하는 경우에는, 서로 주택의 내부를 들여다보는 등 사생활을 침해하는 일이 발생하지 않도록 가림시설을 해야 한다는 것입니다.

내가 사는 주택의 맞은편에 새 주택이 지어지는데, 경계로부터 2미터 이내의 아주 가까운 거리입니다. 그런데 거기에 저쪽 주택의 유리창이 붙어 있으면, 이거는 뭐 샤워도 제대로 하기 힘들고 옷도 갈아입기 힘들게 됩니다. 이 경우 적어도 저쪽에서 가림막 정도는 해주어야 서로 편하게 생활할 수 있겠지요.

내일은 지하시설 등에 대한 제한을 알아보도록 하겠습니다.

제244조(지하시설 등에 대한 제한)

①우물을 파거나 용수, 하수 또는 오물 등을 저치할 지하시설을 하는 때에는 경계로부터 2미터 이상의 거리를 두어야 하며 저수지, 구거 또는 지하실공사에는 경계로부터 그 깊이의 반 이상의 거리를 두어야 한다.
②전항의 공사를 함에는 토사가 붕괴하거나 하수 또는 오액이 이웃에 흐르지 아니하도록 적당한 조처를 하여야 한다.

제244조제1항에서는 '저치'(貯置)라는 말이 나오는데요, 이는 '저축할 저'에 '둘 치'의 글자로, '모아 두다'라는 의미입니다. 즉 우물을 파거나 용수, 하수 또는 오물 등을 모아 두는 지하시설을 만들 때에는 경계로부터 2미터 이상의 거리를 두어야 하고, 저수지, 구거(도랑), 지하실 공사를 할 때는 경계로부터 그 깊이의 반 이상의 거리를 두어야 한다는 것입니다.

일단 제1항에서 말하는 거리(2미터 또는 해당하는 깊이의 반)를 보면, 우리가 공부한 제242조에서의 0.5미터(반 미터)의 거리보다 더 길다는 것을 알 수 있습니다. 이는 지하시설의 공사 등에서는 특히나 토사가 무너지거나 하수, 오물 등이 흘러내릴 염려가 크기 때문에, 단순히 건물을 짓는 것보다 더 안전거리를 길게 확보하도록 한 취지라고 보입니다(황진구, 2019).

제242조(경계선부근의 건축) ①건물을 축조함에는 특별한 관습이 없으

면 경계로부터 반미터 이상의 거리를 두어야 한다.
②인접지소유자는 전항의 규정에 위반한 자에 대하여 건물의 변경이나 철거를 청구할 수 있다. 그러나 건축에 착수한 후 1년을 경과하거나 건물이 완성된 후에는 손해배상만을 청구할 수 있다.

제2항에서는 제1항에서의 공사를 할 때 토사(土砂)가 무너지거나 하수, 오액(汚液, 더러운 액체라는 뜻입니다) 같은 것이 이웃에 흐르지 않도록 적당한 조치를 하여야 한다고 되어 있습니다. 만약 이러한 조치를 취하지 않아서 토사가 옆집으로 무너지는 등의 문제가 발생한 경우에는, 당연히 손해배상을 청구할 수 있겠지요.

드디어 우리는 소유권에 관한 장에서 첫 절이었던 [소유권의 한계] 부분을 모두 마쳤습니다. 다음 권부터는 '새로운 절'로 돌입할 예정인데요, 바로 제2절, [소유권의 취득]입니다. 그동안 제1절에서 공부했던 내용들을 복습하여 보면서 왜 이 내용이 '소유권의 한계' 부분에 들어가 있는지 한 번쯤 생각해 보시면 좋을 듯합니다.

*참고문헌

김용덕 편집대표, 「주석민법 물권1(제5판)」, 한국사법행정학회, 2019, 815면(황진구).

"다음 장부터는 취득시효와
선의취득, 그리고 첨부를
살펴봅니다."

Part 3.

제3장, 소유권
제2절, 소유권의 취득

제245조(점유로 인한 부동산소유권의 취득기간)

①20년간 소유의 의사로 평온, 공연하게 부동산을 점유하는 자는 등기함으로써 그 소유권을 취득한다.

②부동산의 소유자로 등기한 자가 10년간 소유의 의사로 평온, 공연하게 선의이며 과실없이 그 부동산을 점유한 때에는 소유권을 취득한다.

오늘부터 [소유권의 취득]이라는 새로운 절을 공부할 것인데요, 처음으로 나오는 내용이 바로 부동산의 점유취득시효에 관한 내용입니다. 매우 중요한 내용이므로, 열심히 말씀드려 보도록 하겠습니다.

우리는 [민법총칙]에서 시효에 대하여 공부한 적이 있습니다. 그때 주로 알아보았던 것은 바로 '소멸시효' 였습니다. 즉 권리자가 권리행사를 할 수 있음에도 일정한 기간 이상 행사를 하지 않는다면, 그 권리를 소멸시키는 것이었습니다.

오늘 공부할 것은 바로 '취득시효'입니다. 소멸시효의 경우와는 반대로 생각하시면 되는데, 취득시효란 일정한 사실 상태가 계속되면 권리를 '취득'하게 해주는 것입니다. 시효제도의 취지에 대해서는 [민법총칙]에서 공부한 내용을 복습하시기 바랍니다.

우리가 공부한 '물건'에는 부동산이 있고, 또 동산이 있습니다. 제

245조는 그중 '부동산'의 취득시효에 관한 규정입니다. 제1항에서는 20년간 소유의 의사로 평온, 공연하게 부동산을 점유한 사람은 '등기'함으로써 부동산의 소유권을 취득한다고 합니다. 즉 일정한 요건을 충족해서 점유를 오래 해버린 사람에게는 부동산을 꽁으로(?) 준다는 겁니다.

"와, 이게 말이 됩니까? 점유 좀 오래 한다고 부동산을 주면, 원래 부동산 주인이 너무 억울하지 않습니까?"

이런 어이없다는 반응이 있을 수도 있습니다만, 하나 하나씩 뜯어보면 결코 이 요건을 충족하기가 쉽지는 않다는 것을 알 수 있을 것입니다. 자, 이제 제1항에 대해 상세히 알아봅시다.

[점유취득시효 완성으로 부동산 소유권을 취득하기 위한 요건]

1. 소유의 의사로 부동산을 점유하여야 한다.

즉, 자주점유(소유자로서 점유하려는 의사를 가지고 점유)를 해야 한다는 것입니다. 참고로, 자주점유는 민법 제197조에 따라 점유로부터 추정되기 때문에 시효취득을 주장하는 사람이 따로 자주점유를 증명할 필요는 없습니다. 오히려 부동산을 뺏기지 않으려고 애쓰는 상대방이 타주점유를 증명하여야 할 것입니다.

제197조(점유의 태양) ①점유자는 소유의 의사로 선의, 평온 및 공연하

게 점유한 것으로 추정한다.
②선의의 점유자라도 본권에 관한 소에 패소한 때에는 그 소가 제기된 때로부터 악의의 점유자로 본다.

2. 평온 및 공연하게 부동산을 점유하여야 한다.

이 부분 역시 제197조 파트에서 공부한 적 있습니다. 평온은 법률상 용인할 수 없는 폭력이 동반되지 아니하는 것이고, 공연은 숨기지 않는다는 것이지요. 결국 폭력을 수반하여 점유를 하였거나 남몰래 점유를 해온 경우라면 이 요건은 달성할 수 없습니다. 다만, 평온·공연의 요건 역시 제197조에 따라서 추정되기 때문에 이 역시 아주 달성하기 어려운 요건까지는 아니겠지요.

3. 20년간 부동산을 점유하여야 한다.

자, 이제 달성하기 어려운 요건이 나왔습니다. 무려 20년입니다. "부동산을 꽁으로 준다는데, 20년 못 채울게 뭐가 있겠습니까?" 이렇게 생각하실 수도 있는데, 이게 생각보다 꽤 어렵습니다. 생각해보세요. 내 땅이 있습니다. 근데 거기에 다른 누군가가 점유를 합니다. 단순히 땅을 빌려 쓰는 임차인은 아니겠지요? 왜냐하면 자주점유에 해당하지 않으면 애초에 요건 달성이 안 되니까.

그런데 상식적으로 어느 땅 주인이 내 땅에 (임차인도 아닌) 남이 들어와서 20년 동안 점유하는 것을 방치하겠습니까. 또 요즘은 어지간한 일반인들도 모두 취득시효에 대해 대강 알고 있기 때문에, 만약 자기 부동산 소유권을 잃을 것 같으면 가차 없이 쫓아낼 것입니다. 아무도 모르게 몰래 20년 동안 점유를 해볼까 생각도 해보지만, 그렇게 되면 은비점유가 되기 때문에 역시 '공연'의 요건을 달성하지 못하게 됩니다. 애초에 점유취득시효 제도 자체가 공짜로 남의 땅 뺏을 수 있는 기회를 주기 위해 만든 제도가 아니기 때문에 그렇습니다.

그러면 이런 경우가 있기는 있느냐? 그런데 또 생각보다는 있습니다. 왜냐하면 토지, 땅이라는 것이 생각보다 경계가 명확하지 않은 경우가 많기 때문입니다.

예를 들어 철수와 영희가 서로 이웃한 땅의 소유자라고 합시다. 철수는 아래 그림에서 보듯 자기 땅을 실제보다 넓게 인식하고 있었습니다. 이건 측량이 잘못되어서일 수도 있고, 착각일 수도 있습니다. 특히 옛날에는 측량이 부정확하고 땅의 경계가 모호한 경우가 많아 특히 이런 사례가 잦았습니다. 그래서 철수는 사실 영희의 땅인데도 불구하고 자기 땅이라고 생각하여 거기에 건물을 짓고 소유하였습니다.

우리의 대법원은 "건물은 일반적으로 대지를 떠나서는 존재할 수 없으므로, 건물의 소유자가 건물의 대지인 토지를 점유하고 있다고 볼 수 있다. 이 경우 건물의 소유자가 현실적으로 건물이나 대지를 점유하지 않고 있더라도 건물의 소유를 위하여 대지를 점유한다고 보아야 한다."라고 하고 있으므로(대법원 2017. 1. 25. 선고 2012다72469 판결), 건물을 소유하고 있는 철수는 자연히 영희의 땅을 '점유'하고 있는 것이 됩니다.

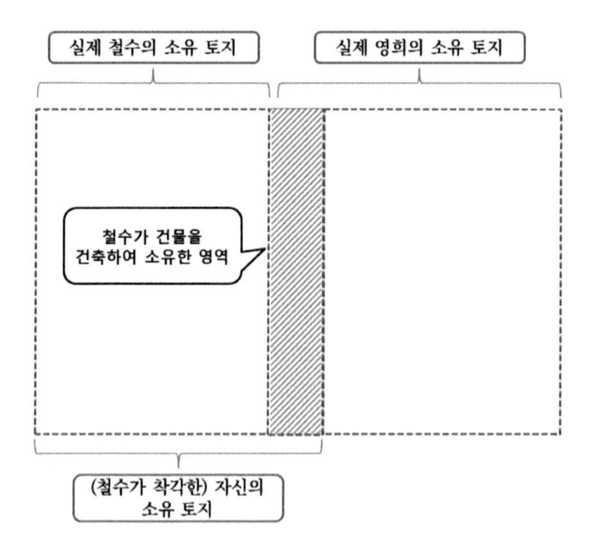

영희 역시 땅의 경계를 정확히 몰라, 설마 남의 땅에 건물 지었겠냐 생각하였고 그렇게 세월이 흘렀습니다. 그렇게 20년이 경과하게 되면, 철수는 이제 '20년간 점유'라는 요건을 달성하게 되는 것입니다. 따라서 이게 힘들기는 한데, 아예 달성 불가능한 요건은 아니라

는 것을 알 수 있습니다.

참고로, 우리가 공부했던 제198조를 떠올려 보세요. 이 조문을 이용한다면, 20년간의 점유를 일일이 하루하루 다 증명할 필요 없이, 20년 간격의 두 시점에 점유한 사실만 증명한다면 '추정'의 효과를 받을 수 있게 되므로 한층 더 유리한 고지를 선점할 수 있게 되겠지요.

제198조(점유계속의 추정) 전후양시에 점유한 사실이 있는 때에는 그 점유는 계속한 것으로 추정한다.

4. 위의 요건을 충족한 사람이 등기를 해야 한다.

위의 철수와 영희의 사례를 다시 생각해 봅시다. 20년의 기간을 채운 철수는 이제 바로 영희의 땅(점유하고 있던 땅) 일부를 취득하게 되는 걸까요? 아직 아닙니다. 20년이 경과하였다는 사실만으로는 바로 철수가 소유권을 갖지 못합니다. 제245조제1항은 반드시 '등기'까지 할 것을 요구하고 있기 때문입니다.

그래서 20년의 기간을 채운 상태만으로는 철수에게 등기청구권(소유권이전등기청구권)이라는 채권적 권리가 발생한 것에 불과하게 됩니다. 쉽게 말해서 등기청구권이란 어떤 사람이 다른 사람에게 "내가 이런 등기를 하려고 하는데 당신이 협력해 주어야만 합니다." 라고 주장할 수 있는 권리입니다.

소유권을 이전하려면 소유권이전등기를 하여야 하는데, 위의 사례에서 철수는 영희에게 "나는 사실 당신의 땅이었던 곳을 무려 20년 동안 점유하였습니다. 그리하여 시효가 완성되었고, 이에 당신에게서 내게로 땅의 소유권을 이전하려는 등기를 하려고 하니, 이에 응하여 주시기 바랍니다."라고 주장할 수 있는 것입니다.

여기서 철수를 (권리가 있다고 하여) 등기청구권자라고 하고, 영희는 (등기에 응하여야 하는 의무가 있다고 하여) 등기의무자라고 합니다. 이는 채권자와 채무자의 관계와 같아, 위에서는 '채권적 권리'라는 표현을 사용하였습니다.

*소유권이전등기의 경우 등기청구권자와 등기의무자가 공동 신청하게 되어 있기 때문에, 철수 입장에서는 영희의 협력이 필요한 상황입니다. 여기서 단순화를 위해 분필과 같은 문제는 생략하도록 하겠습니다.

"아니, 그러면 영희가 소유권이전등기를 안 해주면 되지 않습니까? 영희 입장에서는 해줄 이유가 없죠."

이렇게 말할 수도 있는데, 안됩니다. 이게 영희가 해줘도 되고 안 해줘도 되는 게 아니에요. 영희는 등기'의무자'입니다. 선택이 아니라 의무란 말이지요. 철수가 등기청구권을 행사하면 영희는 등기의무를 이행하여야 합니다.

그러나 현실은 그렇게 쉽지 않지요. 의문을 가진 것처럼 저런 상황에서 "아니, 정말 당신이 20년 동안 내 땅을 자주점유로 평온·공연하게 점유하였단 말인가요? 대단하군요! 당신은 시효완성한 사람이니, 마땅히 제가 소유권이전등기를 해드리겠습니다."라고 말하는 사람은 100명 중에 1명도 안될 것입니다.

보통은 "뭐라고? 안돼, 난 못해줘. 등기청구권? 웃기고 있네." 이렇게 되고요, 소송으로 가게 됩니다. 바로 소유권이전등기청구소송이 그것입니다. 철수가 이 소송에서 승리하게 되면, 아래의 「부동산등기법」 제23조제4항에 따라 철수는 영희의 협력 없이도 단독으로 등기를 신청할 수 있게 되고, 그리하여 완벽한 땅 소유자가 될 수 있습니다. 땅 소유자가 되는 길이 이렇게 어렵습니다.

부동산등기법
제23조(등기신청인) ① 등기는 법률에 다른 규정이 없는 경우에는 등기권리자(登記權利者)와 등기의무자(登記義務者)가 공동으로 신청한다.
④ 판결에 의한 등기는 승소한 등기권리자 또는 등기의무자가 단독으로 신청한다.

지금까지 점유취득시효에 근거한 (제245조제1항의) 부동산 소유권의 취득 요건을 알아보았는데요, 지금부터 제2항을 살펴봅시다.

제2항은 조금 내용이 다릅니다. 여기서는 부동산의 소유자로 '이미 등기한' 사람이, '10년간' 일정한 요건을 충족하여 점유하게 되면 소유권을 취득한다고 되어 있습니다.

뭔가 제1항보다 더 편해 보이는데, 제2항은 무슨 의미인 걸까요? 제2항에 따라 소유권을 취득하는 것을 등기부취득시효에 의한 소유권 취득이라고 합니다.

예를 들면 이런 겁니다. 김투자라는 사람이 투자를 위해 어떤 땅을 사들였다고 합시다. 매매계약을 한 겁니다. 그래서 잔금도 치르고, 소유권이전등기도 받았습니다. 이제 부동산 등기를 떼어 보면, 소유자는 '김투자'라고 명확히 되어 있습니다.

그런데 김투자가 맺었던 매매계약이 모종의 사유로 사실 무효였다고 가정합시다. 무효의 사유는 우리가 공부했던 불공정한 법률행위 등 여러 가지가 될 수 있겠죠. 어쨌건 중요한 건 계약이 무효이기 때문에 김투자는 적법한 땅 주인이 될 수가 없습니다. 즉 김투자 명의의 등기는 무효이고 실제 땅 주인은 원래 땅 주인인데, 등기부상으로만 김투자가 주인인 것처럼 표기되어 있는 상태인 겁니다.

제245조제2항이 적용될 수 있는 것은 바로 이런 경우입니다. 원칙대로라면 주인이 될 수 없는 김투자이지만, 만약 10년간 소유의 의사로 평온, 공연하게 과실 없이 그 땅을 점유하였다면 우리 민법에서는 그가 실제로도 소유권을 취득할 수 있도록 해주는 것입니다. 이는 특히 등기부에 자기 이름까지 등재되어 있는 상태에서 점유를 하는 사람을 보호하기 위한 제도라고 볼 수 있습니다.

그러면 등기부취득시효로 부동산을 취득하기 위한 요건에 대해

상세히 알아봅시다. 글이 길어지게 되네요.

[등기부취득시효 완성으로 부동산소유권을 취득하기 위한 요건]

1. 소유의 의사로 부동산을 점유하여야 한다.

위 점유취득시효 파트에서와 동일합니다.

2. 평온 및 공연하게 부동산을 점유하여야 한다.

위 점유취득시효 파트에서와 동일합니다.

3. 선의 및 무과실로 부동산을 점유하여야 한다.*

오, 새로운 게 나왔습니다. 이 요건은 위에는 없었던 내용입니다. 그래서 *별표도 위에 해뒀습니다. '선의'는 (이미 공부했던 터라 눈치채셨겠지만) 점유자가 진정한 소유자(또는 적어도 권한을 가진 자)로부터 소유권을 취득했다고 믿고 있는 것을 말합니다. 그리고 '무과실'이란, 그렇게 믿은 것에 과실이 없는 것을 의미하지요(김진우, 2019). 즉, 상황을 잘 모르고 순수하게 믿는다는 것이지요.

예를 들어 부동산 매매계약을 했는데, 땅을 팔겠다는 사람이 사실 진짜 땅 주인이 아니었다고 해봅시다. 땅 주인은 생각도 없는데 뜬금없이 제3자가 그 땅을 팔아버리겠다는 겁니다. 등기부만 확인했어도 땅 주인이 다른 사람인 건 알 수 있었는데, 그것도 확인을 하지 않고, 전혀 주의를 기울이지 않은 채 덜컥 땅을 (잘못된 사람으로부터) 사들였다고 해봅시다.

이런 경우에는 땅을 산 사람에게 마땅히 과실이 있다고 봐야 할 겁니다. 당연히 조사해야 할 사항도 체크하지 않았으니까요. 그렇다면 여기서 '무과실'의 요건을 달성할 수 없게 되므로, 등기부취득시효 완성을 통한 부동산 획득의 꿈은 날아갔다고 봐야 합니다.

참고로, 우리가 제197조에서 보았듯이 점유에서 선의가 추정되기 때문에, 사실상 점유자는 '무과실' 정도만 입증하면 되어 입증의 부담이 상당히 줄어든다고 볼 수 있겠습니다.

*다만, 선의가 추정되면 실질적으로 무과실도 추정되어야 한다는 비판도 있습니다(김진우, 2009). 관심 있는 분들은 참고문헌을 참조하여 주시기 바랍니다.

4. 10년간 부동산을 점유하여야 한다.

위 점유취득시효의 경우와는 다르게 10년으로 기간이 더 짧습니다. 우리의 학설은 점유가 10년일 뿐만 아니라 소유권등기가 (위의 사례에서는 '김투자'의 명의로) 등기부에 기록된 기간 자체도 10년이 되어야 한다고 보고 있습니다(김준호, 2017).

5. 시효가 완성되면 등기를 굳이 안 해도 소유권을 취득한다.

이것 역시 점유취득시효와는 다른 부분입니다. 왜 등기를 굳이 안 해도 되느냐? 이미 등기가 되어 있기 때문에 굳이 또 등기를 할 이유가 없기 때문입니다. 즉 위의 사례에서 '김투자'는 시효가 완성되는 순간 별도로 등기를 할 필요 없이 바로 그 땅의 소유권을 취득하게 되는 것입니다.

[심화학습]

지금까지 점유취득시효와 등기부취득시효를 통한 부동산 소유권의 취득에 대하여 알아보았는데요, 한 가지 중요한 부분이 있어 언급하고 넘어갈까 합니다.

점유취득시효의 요건 달성이 까다롭다고는 말씀드렸지만, 현실에서는 워낙 민감한 문제이다 보니까 이와 관련된 소송이 굉장히 많고, 사례도 매우 다양합니다. 그럼에도 불구하고 우리 민법에서 규정하고 있는 제245조 딸랑 1개만으로는 그 모든 사례를 규율하는 데에 어려움이 있습니다.

그래서 학계 일각에서는 지난 수십 년간 우리의 대법원이 축적하여 온 판례를 유형화하여 5개의 원칙*으로 정리하였고, 이를 학생들에게 가르치는 경우가 있습니다. 물론 "판례 5원칙"이라는 것 자체에 대해서, 이런 방식의 유형화가 가능한지, 적절한지 등 학계의 논쟁이 있습니다. 비판적인 견해도 있습니다(강구욱, 2013).

*학자 중에서는 '원칙'이라는 표현이 적절하지 않다고 보아 '5유형' 정도의 표현이 적절하다고 제안하는 경우도 있습니다(이기용, 2006).

그러나 여기서 일단 5원칙에 대해서 설명을 하고 넘어가는 것이 '점유취득시효'라는 제도를 이해하는 데에는 좋은 도구가 될 것 같아 소개를 드리려고 합니다. 만약 내용이 어렵다고 생각되는 분들은 위에 설명드린 내용까지만 읽으시고 넘어가셔도 괜찮습니다. 먼저

점유취득시효에 관한 판례 5원칙을 강구욱(2014)을 참조하여 나열하여 보고, 하나씩 말씀드려 보겠습니다.

제1원칙: 부동산에 대한 취득시효가 완성된 경우, 점유자는 원 소유자에 대하여 등기 없이도 그 부동산의 시효취득을 주장하여 대항할 수 있다.

제2원칙: 취득시효가 진행되던 중에 등기부상의 소유자가 변경된 경우, 점유자는 취득시효 완성 당시의 등기부상의 소유자에 대하여 등기 없이도 취득시효 완성의 효과를 주장할 수 있다.

제3원칙: 취득시효가 완성된 경우라고 할지라도, 그에 따른 등기를 하지 않고 있는 사이에, 제3자가 그 부동산에 관한 소유권이전등기를 마쳐 버리는 경우, 점유자는 그 제3자에게 취득시효의 효과를 주장하여 대항할 수 없다.

제4원칙: 취득시효를 주장하는 점유자는 실제로 점유를 개시한 때를 취득시효의 기산점으로 삼아야 하고, 그 기산점을 임의로 선택할 수 없다. 다만, 점유기간 중 계속하여 등기명의자의 변경이 없는 경우에는 그 점유개시의 기산일을 임의로 선택할 수 있다.

제5원칙: 제3원칙이 적용되는 사례라고 할지라도, 당초의 점유자가 계속 점유를 (그 이후로도) 하고, 소유자가 변동된 시점을 기산점으로 삼아도 다시 취득시효의 점유기간이 경과한 경우라면, 점유자는 다시금 취득시효의 완성을 주장할 수 있다.

제1원칙: 부동산에 대한 취득시효가 완성된 경우, 점유자는 원 소유자에 대하여 등기 없이도 그 부동산의 시효취득을 주장하여 대항

할 수 있다.

제1원칙을 봅시다. 이건 위에서 설명한 내용과 동일합니다. 쉽게 말해 시효완성한 사람(위의 사례에서는 20년간 점유를 했던 철수)은 등기가 아직 안 되어 있는 상태이므로 진정한 소유자는 아니지만, 그럼에도 불구하고 시효취득을 '주장'하여 대항할 수 있다는 겁니다. 제1원칙이 소유권을 아직 취득했다는 뜻은 아니니 주의하세요. 주장을 할 수 있고 대항할 수 있다는 것은, 원래 땅 주인(위의 사례에서는 영희)이 시효를 완성한 철수를 함부로 쫓아낼 수 없다는 것을 의미합니다.

제2원칙: 취득시효가 진행되던 중에 등기부상의 소유자가 변경된 경우, 점유자는 취득시효 완성 당시의 등기부상의 소유자에 대하여 등기 없이도 취득시효 완성의 효과를 주장할 수 있다.

제2원칙을 봅시다. 자, 위의 사례를 계속 이용해 볼까요? 철수가 영희의 땅을 침범해서 점유를 하고 있는 상황이지요. 철수 입장에서는 20년만 점유하면 되는데(제245조제1항), 문제는 10년이 경과한 시점에 영희가 그 땅을 친구인 김절친에게 팔아 버렸다고 합시다(소유권이전등기도 [영희→김절친]으로 완료). 그럼 어떻게 되는 걸까요? 철수는 다시 20년을 기다려서, 합계 총 30년을 점유해야 땅을 얻을 수 있는 걸까요?

아닙니다. 일단, 시효는 중단이 안됩니다. 이런 식으로 중단을 할 수 있다는 규정이 민법 어디에도 없습니다. 따라서 제2원칙에 의하면, 땅의 점유자인 철수는 등기부상 소유자가 변경된 거랑 상관없이 점유를 계속해서, 추가로 10년만 더 점유하면(총합 20년) 시효를 완성시킬 수 있습니다. 물론, 등기청구권을 행사할 때에는 취득시효가 완성된 시점에서의 등기부상 소유자(김절친)에게 행사하여야 합니다. 영희에게 하면 안 됩니다. 이것이 제2원칙입니다.

제3원칙: 취득시효가 완성된 경우라고 할지라도, 그에 따른 등기를 하지 않고 있는 사이에, 제3자가 그 부동산에 관한 소유권이전등기를 마쳐 버리는 경우, 점유자는 그 제3자에게 취득시효의 효과를 주장하여 대항할 수 없다.

제3원칙을 봅시다. 철수가 열심히 점유를 해서 결국 20년을 채웠다고 합시다. 철수는 신났죠. "이제 이 땅은 공식적으로 내 것이 될 거야! 자, 이제 소유권이전등기 청구를 영희에게 해볼까?"

그런데 (시효가 완성되고 나서) 소유권이전등기가 완료되기 전에, 영희가 땅을 김절친에게 팔아 버렸습니다.

"그런 게 가능한가요?" 네, 가능합니다. 위에서도 말씀드렸죠? 점유취득시효가 완성되었다고 곧바로 점유자가 소유권을 취득하는 게 아니라고요. 시효가 완성되었지만 아직 등기이전이 없었기 때문에,

당연히 그 시점에서의 진정한 소유자는 영희이고요, 이런 상황을 모르는 김절친은 영희에게 돈을 주고 적법하게 땅을 사들인 겁니다.

이건 제2원칙과는 다른 상황입니다. 제2원칙에서는 [시효완성 전]에 김절친에게 땅을 판 거고, 여기 제3원칙에서는 [시효완성 후 소유권이전등기 전]에 김절친에게 땅을 판 겁니다. 완전히 다릅니다.

중요한 사실은, 위에서 공부하였듯이 철수가 영희에 대하여 갖고 있는 '소유권이전등기청구권'은 채권적 권리로서 오직 영희에게만 주장할 수 있는 권리라는 것입니다. 네, 다시 말해 철수의 청구권은 영희에게나 주장할 수 있지 김절친에게는 주장할 수 없다는 것이고, 현재 부동산의 소유자는 영희가 아닌 '김절친'이므로... 철수는 땅을 취득할 수 없게 됩니다.

물론 결론적으로 영희는 철수에 대하여 가진 채무(소유권이전등기의 의무)를 다하지 못한 것이므로, 채무불이행의 책임을 지게 되기는 합니다. 또는 만약 영희가 "철수가 시효를 완성했다는 사실을 알면서도 고의적으로 철수에게 땅을 빼앗기지 않기 위해 김절친과 서로 짜고 땅을 넘긴 것"이라면, 그 계약이 반사회적 법률행위라서 무효라고 주장해 봄직도 합니다.

판례 역시 "부동산 소유자가 자신의 부동산에 대하여 취득시효가 완성된 사실을 알고 이를 제3자에게 처분하여 소유권이전등기를 넘겨줌으로써 취득시효 완성을 원인으로 한 소유권이전등기의무를 이

행불능에 빠뜨려 시효취득을 주장하는 자에게 손해를 입혔다면 불법행위를 구성하며, 이 경우 부동산을 취득한 제3자가 부동산 소유자의 이와 같은 불법행위에 적극 가담하였다면 이는 사회질서에 반하는 행위로서 무효이다."라고 하고는 있습니다(대법원 1995. 6. 30. 선고 94다52416 판결). 근데 현실에서는 저 놈들이(?) 서로 짜고 쳤다는 걸 입증하는 것도 쉽지는 않을 것입니다.

그러나 영희가 철수의 시효완성에 대한 사실을 애초에 잘 몰랐고(충분히 잘 모를 수 있습니다), 김절친도 그냥 평범한 매수인이라면 철수는 결국 20년의 세월에도 불구하고 땅을 얻을 수 없습니다. 철수에게는 최악의 상황이라고 할 수 있겠네요.

사실 일반적으로는 이런 불상사를 피하기 위해서 철수와 같은 사람들은 시효완성이 되자마자 바로 소유권이전등기청구소송을 제기하고, 소송 중에 땅을 함부로 못 팔게 처분금지가처분까지 함께 신청하는 경우가 대부분입니다.

제4원칙: 취득시효를 주장하는 점유자는 실제로 점유를 개시한 때를 취득시효의 기산점으로 삼아야 하고, 그 기산점을 임의로 선택할 수 없다. 다만, 점유기간 중 계속하여 등기명의자의 변경이 없는 경우에는 그 점유개시의 기산일을 임의로 선택할 수 있다.

제4원칙을 봅시다. 어찌 보면 상식적으로 당연한 말이기도 합니다. 지금까지 제1원칙부터 제3원칙까지 공부했다면 감이 오시겠지만, [언제 점유를 시작했는가](기산점)는 굉장히 중요한 문제라는 생각이 들지 않습니까?

제4원칙이 없다고 해봅시다. 기산점을 점유자(철수)가 마음대로 정할 수 있다고 해봅시다. 원래는 2000년 1월 1일에 철수가 점유를 시작했으므로, 2020년 1월 1일에 시효가 완성될 것입니다. 그리고 영희는 2020년 1월 3일에 김절친에게 땅을 팔았다고 해봅시다. 위에서 공부한 제3원칙에 따르면, 시효가 완성되었어도 철수는 아직 등기를 못해서 완전한 소유자가 아니므로 이러한 경우 김절친에게 아무것도 할 수가 없습니다.

그런데 만약 철수가 기산점을 마음대로 정할 수 있다면, 철수는 점유가 2000년 “2월 1일”에 시작했다고 주장해 버리면 됩니다. 그러면 시효완성은 2020년 2월 1일이 되므로, 영희→김절친에게의 부동산 매매는 [시효완성 후]가 아니라 [시효완성 전]에 해버린 것이 됩니다. 즉, 기산점이 바뀜에 따라 제3원칙이 아니라 제2원칙이 적용되어 버리는 것입니다! 철수는 따라서 2020년 2월 1일에 시효완성을 근거로 새로운 땅 주인인 김절친에게 소유권이전등기청구를 해버릴 수 있게 됩니다.

이렇게 중요한 의미를 갖는 기산점을 자기 마음대로, 멋대로 하게 내버려 두면 안 되겠지요. 그래서 제4원칙은 기산점을 마음대로 하지 못하도록 하고 반드시 실제로 점유를 시작한 시점을 기산점으로 하도록 강제한 것입니다.

물론, 등기부상 소유자가 계속 바뀌지 않은 경우라면 방금 말씀드린 것과 같은 문제가 발생할 일이 없게 되니까, 그런 경우에는 점유개시의 기산일을 철수 마음대로 정해도 된다고 합니다(제4원칙의 단서).

제5원칙: 제3원칙이 적용되는 사례라고 할지라도, 당초의 점유자가 계속 점유를 (그 이후로도) 하고, 소유자가 변동된 시점을 기산점으로 삼아도 다시 취득시효의 점유기간이 경과한 경우라면, 점유자는 다시금 취득시효의 완성을 주장할 수 있다.

제5원칙을 봅시다. 이건 제3원칙의 사례에 대한 심화 버전이라고 보시면 되겠습니다. 제3원칙의 사례에서 영희는 김절친에게 땅을 팔았는데요, 철수는 눈물을 머금고 물러날 수밖에 없었습니다. 그런데 오잉, 김절친이 땅을 사긴 했는데 그 땅을 놀리기만 하고, 철수더러 나가라 마라 얘기가 아예 없는 겁니다.

철수는 그냥 그 땅을 계속 점유합니다(편의상 자주점유, 평온, 공연과 같은 요건은 충족된다고 가정합니다). 그리고 또 20년의 세월이 흐릅니다. 결국 철수는 총 40년의 기간을 점유를 한 게 됩니다. 음... 철수가 굉장히 장수를 했다고 역시 가정하겠습니다.

제5원칙은, 제3원칙의 사례라고 할지라도 땅이 판매되어 소유자가 (영희에게서 김절친으로) 바뀐 시점을 기준으로 해서 다시 20년의 세월 동안 점유가 계속되었다면, 점유자는 새롭게 취득시효의 완성을 주장할 수 있다는 것입니다. 먼 길을 돌아 40년의 세월을 버텨온 철수는 드디어 빛을 보게 되었습니다.

제5원칙이 있는 이유는, 만약 새롭게 점유취득시효가 완성되는 것까지 모조리 안된다고 해버리면 그 땅은 영원히 시효취득이 안 되는 땅이 되어 버리기 때문입니다. 그러면 제도의 취지 자체가 훼손되는 것이겠지요.

판례 역시 "만약 이와 달리 당초의 점유자가 제3취득자의 등기 후에도 계속 점유함으로써 다시 취득기간이 완성되었는데도 시효취득할 수 없다고 한다면 일단 취득시효기간이 경과한 후 제3자명의로 이전등기된 부동산은 새로운 권원에 의한 점유가 없는 한 영구히 시효취득의 대상이 아니게 되고 시효기간 경과 후의 제3취득자는 시효취득의 대상이 되지 아니하는 부동산을 소유하게 됨으로써 보통의 소유자보다도 더 강력한 보호를 받게 되며, 이경우에는 취득시효제도가 사실상 부인되는 결과가 초래되어 부당하다 할 것이다." 라고 하여 같은 입장입니다(대법원 1994. 3. 22. 선고 93다46360 전원합의체 판결).

오늘은 점유취득시효와 등기부취득시효, 그리고 심화학습으로 판례가 정립한 5개의 원칙까지 논의하였습니다. 엄청나게 글이 길어졌는데요, 굉장히 중요한 부분이어서 제 능력 안에서는 어떻게 짧게 설명할 방법이 없었다는 것을 양해해 주시면 감사하겠습니다.

오늘의 내용은 점유로부터의 추정이나 자주점유(소유의 의사), 선의, 평온, 공연, 전후양시의 추정 등 우리가 지금까지 공부한 내용들이 망라되어 있는, 일종의 종합 선물세트라고 할 수 있으므로 꼼꼼히 읽어 보시기를 추천드립니다.

내일은 오늘 것보다는 좀 더 짧은 내용이 될 듯합니다. 바로 점유로 인한 동산의 취득입니다.

*참고문헌

강구욱, "취득시효에 관한 판례 5원칙 아무런 근거 없다", 법률신문, 2013. 9. 12.자,

https://m.lawtimes.co.kr/Content/Article?serial=138806, 2023. 1. 12. 확인.

강구욱, "부동산 취득시효 관련 판례 5원칙에 관한 연구", 「민사소송」 제18권 제1호, 2014, 444-445면.

김용덕 편집대표, 「주석민법 물권1(제5판)」, 한국사법행정학회, 2019, 892면(김진우).

김준호, 「민법강의(제23판)」, 법문사, 2017, 624면.

김진우, "점유법에서의 무과실과 입증책임", 성균관법학 제21권제3호, 2009, 57-76면.

이기용, "점유취득시효에 관한 판례의 5유형과 명의신탁 등기에의 적용", 「인권과 정의」 제357호, 2006, 181면.

제246조(점유로 인한 동산소유권의 취득기간)

①10년간 소유의 의사로 평온, 공연하게 동산을 점유한 자는 그 소유권을 취득한다.
②전항의 점유가 선의이며 과실없이 개시된 경우에는 5년을 경과함으로써 그 소유권을 취득한다.

어제는 부동산의 점유취득시효, 등기부취득시효를 공부하느라 고생이 많으셨습니다. 어제 부동산소유권에 대해 공부했으니 오늘은 '동산' 소유권에 대해 알아보아야 겠지요.

그런데 제246조는 동산소유권의 취득시효를 제1항과 제2항으로 나누어서 규정하고 있습니다. 학자에 따라 제1항의 경우를 일반취득시효, 제2항의 경우를 선의취득시효라고 부르기도 합니다. 제1항에서는 10년간 소유의 의사(자주점유)로 평온, 공연하게 동산을 점유하는 경우 동산의 소유권을 취득한다고 합니다.

"오, 그러면 제 것이 아닌 물건(동산)을 빼앗아서 10년 동안만 도망 다니면 온전히 제 물건이 되겠군요! 꼭 해봐야지." 이런 생각이 드실 수도 있을 겁니다.

그런 경우 우선 윤리적으로 안 되는 것을 떠나서, 일단 평온·공연의 요건을 충족하기가 어려울 것이어서 시효취득이 불가능합니다(김진우, 2007). 일단 법률상 허용되지 아니하는 행위를 하였고 남

모르게 동산을 숨겨서(은비점유) 다녔으니까요. 그리고 애초에 물건을 절취한 시점에서 형법에 따라 처벌될 가능성이 높습니다. 나쁜 일은 하지 맙시다.

제2항에서는 '선의·무과실'하게 점유를 개시한 경우라는 요건까지 추가하여, 소유의 의사로 평온, 공연하게 동산을 점유하는 때에는 5년만 점유하면 소유권을 취득한다고 규정합니다. 아무래도 요건이 더 까다로워진 만큼 기간도 5년으로 줄어들었습니다.

오늘은 동산소유권의 시효취득에 대해 공부하였는데요, 사실 이 조문은 현실에서 자주 사용되는 규정은 아닙니다. 왜냐하면 동산소유권의 경우 부동산과 달리 선의취득(제249조)이라는 제도가 있기 때문인데요, 그렇기 때문에 기껏해야 선의취득이 인정되지 않는 사례에서나 적용될 수 있는 정도의 의미만 있습니다(김준호, 2017). 선의취득에 대해서는 바로 제249조에서 상세히 공부할 예정이므로 기대해 주시기 바랍니다. 내일은 소유권 취득의 소급효과 중단사유에 대하여 알아보겠습니다.

*참고문헌

김진우, "동산소유권의 시효취득 요건론에 관한 독일법과 한국법의 비교적 고찰", 「비교사법」 제14권제3호(상), 2007, 356면.

김준호, 「민법강의(제23판), 법문사, 2017, 625면.

제247조(소유권취득의 소급효, 중단사유)

①전2조의 규정에 의한 소유권취득의 효력은 점유를 개시한 때에 소급한다.
②소멸시효의 중단에 관한 규정은 전2조의 소유권취득기간에 준용한다.

우리는 앞서 제245조, 제246조에서 부동산 및 동산소유권 취득에 대하여 공부하였는데요, 그렇다면 소유권을 시효취득하였다고 했을 때, 그 효력은 언제부터 있다고 보아야 할까요? 제247조는 그에 대한 대답을 주고 있습니다.

제247조제1항은 '소유권취득의 효력'이 점유를 개시한 때로 소급한다고 정합니다(소급효). 즉, 철수가 2000년 1월 1일 다른 사람의 땅을 점유하여 20년간 소유의 의사로 평온, 공연하게 2020년 1월 1일까지 버틴 후 등기까지 완료하였다면, 철수는 바로 처음 점유를 개시하였던 2000년 1월 1일부터 그 땅의 소유자였던 것으로 간주됩니다.

이 규정은 의미가 큰 것이, 철수는 이제 2000년부터 20년 동안 그 땅을 점유하면서 얻게 된 과실 등을 (원래의 땅 주인에게) 부당이득으로 반환하지 않아도 됩니다. 또, 철수가 땅을 점유하면서 그 땅을 심지어 다른 누군가에게 임대까지 해준 경우에도, 그 임대행위는 소유자로서 했던 것이 되어 유효한 법률행위가 되는 것입니다. 철수

입장에서는 제247조의 존재가 중요하다고 하겠습니다.

그런데 이런 생각이 들 수가 있습니다. "아니, 그러면 철수가 땅을 빼앗기(?) 전에 원래 땅 주인이 예를 들어 2010년도에 임대를 하거나 한 것은 어떻게 되나요? 철수가 2000년 1월 1일부터 소유자라고 간주한다고 했으니까, 원래 땅 주인이 그때 했던 것은 무효가 되는 건가요?"

결론부터 말하면 그렇지는 않습니다. 다소 민감한 문제인데요, 위에서 말하는 '소급효'라는 것이, 원래 땅 주인이 (시효취득이 일어나기 전에) 자신의 소유권에 기하여 한 권리행사의 효과까지 부정하는 것은 아닙니다(김진우, 2019). 그렇게 되면 원래 땅 주인에게 너무 억울한 일이 될 수 있겠지요. 따라서 여기서의 소급효는 시효취득자(철수)가 원래의 땅 주인과의 관계에서 주장할 수 있는 것이고 제3자에 대하여는 제한되는 것으로 해석하여야 할 것입니다(장재현, 2010).

우리의 판례 역시 "원소유자가 취득시효의 완성 이후 그 등기가 있기 전에 그 토지를 제3자에게 처분하거나 제한물권의 설정, 토지의 현상 변경 등 소유자로서의 권리를 행사하였다 하여 시효취득자에 대한 관계에서 불법행위가 성립하는 것이 아님은 물론 위 처분행위를 통하여 그 토지의 소유권이나 제한물권 등을 취득한 제3자에 대하여 취득시효의 완성 및 그 권리취득의 소급효를 들어 대항할 수도 없다 할 것"이라고 하여 같은 입장입니다(대법원 2006. 5. 12.

선고 2005다75910 판결).

다음으로 제247조제2항을 보겠습니다. 여기서는 소멸시효의 중단에 관한 규정(제168조부터의 내용)을 취득시효에도 준용하도록 하고 있습니다. 소멸시효의 중단사유는 구체적으로 재판상 청구, 파산절차참가, 지급명령, 화해를 위한 소환, 임의출석, 최고, 압류, 가압류, 가처분 등이 있습니다. 우리가 [민법총칙] 편에서 공부했던 내용인데요, 기억이 잘 안 나는 분들은 간단히 복습을 하고 오시는 것도 좋을 듯합니다.

제168조(소멸시효의 중단사유) 소멸시효는 다음 각호의 사유로 인하여 중단된다.
1. 청구
2. 압류 또는 가압류, 가처분
3. 승인

참고로 제168조에서는 소멸시효의 중단사유에 대해 적어 두고, 이후 제169조부터는 각각의 내용에 대해 조금 더 상세하게 정하고 있었습니다. 따라서 '소멸시효'를 중단시키는 사유는 '취득시효' 역시 중단시킨다고 볼 것입니다. 같은 중단사유를 가지고 있는 것이지요.

*다만, 〈소멸시효의 중단사유가 곧 취득시효의 중단사유와 같다〉라는 표현에 대해서는, 취득시효와 소멸시효의 성질이 달라 일부 소멸시효

의 중단사유는 취득시효에 적용될 수 없다는 반대 견해도 있습니다. 예를 들어 파산절차참가, 지급명령, 임의출석, 압류, 가압류와 같은 사유는 채권의 소멸시효와 관련이 있지 취득시효와는 연관이 없거나, 논리상 취득시효에는 준용이 불가능하다는 것입니다(김진우, 2019: 903면). 이에 관련한 학설의 대결까지 기재하는 것은 무리가 있으므로 어느 의견이 타당한지는 참고문헌 등을 찾아 스스로 생각하여 보시기를 추천드립니다.

또한, 우리가 공부했던 제178조 역시 취득시효에 준용되기 때문에 취득시효의 중단 역시 중단까지 경과한 기간은 산입하지 않는 것으로 하고, 중단의 사유가 끝난 때부터 새로 진행(리셋)하는 것으로 보아야 합니다.

제178조(중단후에 시효진행) ①시효가 중단된 때에는 중단까지에 경과한 시효기간은 이를 산입하지 아니하고 중단사유가 종료한 때로부터 새로이 진행한다.
②재판상의 청구로 인하여 중단한 시효는 전항의 규정에 의하여 재판이 확정된 때로부터 새로이 진행한다.

예를 들어 보겠습니다. 위의 사례에서 철수가 2000년 1월 1일부터 다른 사람 소유의 땅을 점유하고 있는데, 진짜 소유자가 그 사실을 나중에 알게 되었습니다. 그래서 2009년 1월 1일에 철수를 상대로 자기 땅을 돌려달라는 소송을 제기한다면, 이는 '재판상 청구'에 해당하게 되므로 철수가 착착 진행시키던 취득시효는 중단되는 효과가 발생하는 것입니다.

제247조제2항에서 신경 쓰이는 문제는 시효의 '정지'인데요, 소멸시효의 '정지'에 관한 규정을 취득시효의 경우에도 준용한다는 말은 어디에도 없습니다. 제247조뿐 아니라 민법 어디에도 그런 말은 없긴 합니다.

그래서 이에 대해서는 논란이 있는데, 학설은 굳이 제외할 이유가 없다는 이유로 취득시효에도 유추적용 가능하다는 견해가 다수인 것으로 보입니다.

그러나 우리나라가 처음 민법을 제정할 때 국회 법제사법위원회에서 이를 심의한 「민법안심의록」에 의하면 민법의 제정 과정에서는 명백하게 소멸시효의 정지에 관한 규정을 취득시효에 준용하지 않으려고 했던 취지가 기록되어 있기 때문에, 통설과 제정 당시의 취지 간에 이견이 있는 상황이라는 지적도 있습니다(김준호, 2017). 참고로만 알아 두시면 되겠습니다.

오늘은 취득시효의 소급효와 함께 그 중단사유에 대하여도 알아보았습니다. 내일은 소유권 이외의 재산권에 대한 취득시효를 공부하도록 하겠습니다.

*참고문헌

김용덕 편집대표, 「주석민법 물권1(제5판)」, 한국사법행정학회, 2019, 900-901면(김진우).

김준호, 「민법강의(제23판)」, 법문사, 2017, 627-628면.

장재현, 「주석민법」, 정림사, 2010, 236면.

제248조(소유권 이외의 재산권의 취득시효)

전3조의 규정은 소유권 이외의 재산권의 취득에 준용한다.

지금까지 우리가 공부한 취득시효는 (동산과 부동산의) '소유권'에 관한 내용이었습니다. 그런데 권리에는 소유권만 있는 것이 아니지요. 지상권, 지역권, 질권, 그리고 지식재산권 같은 것들도 있습니다. 제248조에 따르면 우리가 공부한 부동산소유권 및 동산소유권의 취득시효(제245조 및 제246조), 그리고 취득시효의 효과와 중단사유에 관한 규정(제247조)는 다른 재산권의 취득에도 준용한다고 봅니다.

다만, 우리가 아직 지상권, 지역권, 질권 등에 대해서 공부하지 않았기 때문에(안타깝게도 아직 해당 파트를 공부하려면 진도가 많이 남았습니다), 아래 [심화학습]의 내용은 해당 파트를 공부한 뒤 돌아와서 꼭 읽어 보시기 바랍니다.

아무래도 해당 파트를 공부하면서 또 취득시효에 관한 내용을 언급하기는 좀 애매하기 때문에, 여기서 아예 내용을 적어 두고 나중에 질권 등을 공부하신 뒤에 돌아오시는 것이 나을 것 같아요.

우선 오늘 내용은 여기까지로 하고, 내일은 동산의 선의취득에 대하여 공부하도록 하겠습니다.

[심화학습]

*이하의 내용은 저당권, 지상권, 지역권, 질권, 지식재산권 등에 대해 이미 알고 있다는 전제 하에 작성하였습니다.

제248조에 따른 취득시효는 그 요건과 효과가 기본적으로는 [소유권]에 대한 취득시효와 거의 유사합니다. 그 대상이 부동산이면 부동산취득시효에 관한 규정을, 동산이면 동산취득시효에 관한 규정을 준용하면 됩니다.

다만, 모든 권리가 다 취득시효의 대상이 될 수 있는 것은 아니고, 적어도 제248조에 따른 취득시효의 대상이 되는 재산권이려면 최소한 점유 또는 준점유가 가능한 권리여야 합니다. 준점유에 대해서 기억이 안 나시면 제210조 부분을 복습하고 오시면 되겠습니다.

예를 들어 저당권의 경우는 어떨까요. 저당권은 애초에 점유를 수반하지 않는 권리입니다. 철수가 어떤 땅을 소유하고 있는데, 급히 돈이 필요해져서 이를 저당 잡고 영희에게 1억 원을 빌렸다고 해봅시다. 그리고 영희에게 저당권을 설정하여 주었습니다. 영희는 철수의 땅을 저당 잡아 나중에 자신이 빌려준 돈을 받기만 하면 될 뿐, 땅을 점유하지 않습니다. 영희가 저당권자라고 해서 그 땅에 사는 것도 아닙니다. 이처럼 저당권의 경우 점유와는 무관하기 때문에 제248조에 따라 〈취득시효의 대상이 되는 권리〉라고 볼 수는 없는 것입니다.

또한, 청구권(채권)이나 형성권도 어떤 물건을 직접 배타적으로 지배하는 권리(지배권)이 아니기 때문에, 역시 시효취득의 대상이 될 수 없을 것입니다(박동진, 2022).

유치권의 경우는 어떨까요? 이는 당사자의 의사표시를 요하지 않고 법률의 규정에 따라 바로 성립하는 것이어서 취득시효의 대상이 된다고 보기 곤란합니다. 마찬가지 논리로 점유권 역시 취득시효가 적용된다고 보기 어렵겠지요.

한편, 전세권에 대해서는 다소 학설이 대립하나, 아무래도 전세권의 존속기간이 10년을 넘지 못하도록 하고 있어(제312조제1항), 20년간 점유를 해서 취득시효를 주장하더라도 나머지 10년은 버려야 하는 문제가 있고, 또 전세권을 시효로 취득할 수 있다고 하면 전세금반환채권도 시효취득이 된다고 보아야 하는데, 이는 논리상 인정하기가 어렵습니다(김준호, 2017). 전세권도 제248조의 대상이 되기 어렵다는 견해가 많은 것으로 보입니다.

지식재산권의 경우에는 논란이 있습니다. 대체로 지식재산권에 제248조가 적용된다는 견해는 많으나, 구체적으로 구성요건을 보았을 때에는 타당한지가 명확하지 않다는 것인데요.

예를 들어 특허권의 경우에는 출원일부터 20년 동안의 보호기간을 가지지만 실질적으로 특허권을 행사하는 기간은 20년 미만이라고 보이기 때문에 취득시효를 논의할 실익이 적습니다.

또, 상표권의 경우에는 10년마다 갱신하여 이를 유지하기는 하지만 불사용 상표에 대한 등록취소제도가 있어 취득시효에 대한 논의의 실익이 역시 적다고 할 것입니다. 따라서 취득시효의 논의 실익이 있는 것은 저작권 정도라고 보이는데, 저작권은 보호기간이 저작자 사후 70년으로 길다는 점에서 그러합니다(박윤석·안효질, 2017).

결국 지금까지의 논의를 종합하면 취득시효의 대상이 될 수 있는 권리로는 소유권, 지상권, (계속되고 표현된) 지역권, 전세권, 질권, 광업권, 어업권, 저작권과 같은 지식재산권, (관습법에 따라 인정되는) 분묘기지권 정도가 될 것이라고 하겠습니다. 질권과 같은 동산에 관한 권리는 제246조를 적용하면 될 것입니다.

*엄밀히 지역권은 '제248조의' 적용을 받는다고 하기 어렵습니다. 지역권은 점유를 요건으로 하는 권리가 아닌 데다가, 제294조가 따로 지역권의 취득시효를 규정하고 있기 때문에 사실은 제294조의 적용을 받는다고 보아야 할 겁니다. 또한 분묘기지권도 관습법에 의하여 인정되는 것이므로 제248조의 적용을 받는 것은 아니라고 합니다(김용담, 2011). "취득시효의 대상이 되는 것"이라는 표현과, "제248조의 적용을 받는 것"이라는 표현은 다른 의미로 새겨야 한다, 라는 정도로 이해하면 될 듯하네요.

하다 보니까 결국 제248조가 생각보다 '되는 게' 별로 없습니다. 맞습니다. 실제로 제248조는 법문의 표현과 달리 적용범위가 그다지 넓지 않으며, 심지어 지역권은 제294조가 별도로 규율하는 것으로 보아야 하며, 지상권이 거의 유일한 제248조의 규율대상이라고 보아도 지나치지 않습니다. 그러나 현실에서는 정작 그 지상권의 시효취득 자체도 거의 일어나지 않는 상황이라는 지적도 있지요(이진기, 2016).

각각의 권리와 시효취득의 가능성에 대해서 찬찬히 생각해 보시면 좋은 공부가 될 것으로 보입니다. 여러 권리를 종합하여 생각해 볼 수 있는 기회이니 한번 고민해 보시길 바랍니다.

*참고문헌

김용담 편집대표, 「주석민법 물권1(제4판)」, 한국사법행정학회, 2011, 789면.

김준호, 「민법강의(제23판)」, 법문사, 2017, 626면.

박동진, 「물권법강의(제2판)」, 법문사, 2022, 217면.

박윤석·안효질, "저작권의 취득시효에 관한 고찰", 「계간 저작권」 통권 제119호, 2017, 75-77면.

이진기, "분묘기지권의 근거와 효력", 「비교사법」 제23권 제4호, 2016, 1725면.

제249조(선의취득)

평온, 공연하게 동산을 양수한 자가 선의이며 과실없이 그 동산을 점유한 경우에는 양도인이 정당한 소유자가 아닌 때에도 즉시 그 동산의 소유권을 취득한다.

오늘은 굉장히 중요한 조문을 공부할 겁니다. 바로 동산의 〈선의취득〉입니다. 전에 우리는 제246조를 공부하였었는데, 거기서 말하기를 동산에 관해서는 '선의취득' 제도가 있어 제246조가 사실상 자주 사용되지는 않는다고 한 적이 있습니다. 왜 그런지, 지금부터 알아보도록 하겠습니다.

제246조(점유로 인한 동산소유권의 취득기간) ①10년간 소유의 의사로 평온, 공연하게 동산을 점유한 자는 그 소유권을 취득한다.
②전항의 점유가 선의이며 과실없이 개시된 경우에는 5년을 경과함으로써 그 소유권을 취득한다.

소유권 존중은 가장 기본적인 법률의 원칙 중 하나입니다. 내 물건에 대한 나의 소유권을 당연히 법률이 지켜줄 필요가 있는 겁니다. 그래서 우리는 소유물반환청구권(제213조), 소유물방해제거청구권 및 방해예방청구권(제214조) 같은 제도를 공부한 것입니다.

그런데 '소유권 존중'이라는 원칙을 칼같이 무조건 지키다 보면, 문제가 생길 수 있습니다. 특히 동산의 경우에는 더 그러합니다. 예

를 들어 봅시다.

철수는 예쁜 볼펜을 하나 갖고 있습니다. 정당한 소유자입니다. 영희는 철수의 볼펜이 마음에 들어 철수와 매매계약을 맺고 볼펜을 사들였습니다. 그리고 시간이 지나, 영희는 돈이 좀 급해져서 친구인 나착함에게 그 볼펜을 다시 돈 받고 팔았습니다.

그런데 여기서, 처음 있었던 철수-영희 간의 볼펜 매매계약이 불공정계약이라거나 아니면 여러 가지 모종의 사유가 있어 무효라고 해봅시다. 그러면 영희는 처음부터 정당한 볼펜의 소유자가 아니었던 게 됩니다. 엄격하게 소유권 존중의 원칙을 따지면, 영희에게서 2차로 볼펜을 사들인 친구 나착함 역시 〈무권리자〉로부터 볼펜을 매입한 것이므로 소유권을 가질 수 없게 됩니다.

문제는 동산의 경우, 부동산과 다르게 '등기'가 되는 것이 아니므로 나착함이 〈영희가 진정한 소유자가 맞는지〉를 조사하기가 매우 어렵다는 것입니다. 즉, 동산의 경우 부동산과 달리 등기·등록과 같은 안정된 공시방법이 존재하지 아니하고, 소재가 불확정적입니다. 따라서 동산 거래에서 양도인이 진정한 권리자인지를 일일이 따지기가 어렵습니다. 가능하다고 하더라도 지나친 시간과 비용이 소모될 우려가 큽니다.

나착함이 영희에게 이 볼펜이 어디서 났냐고 따져 묻고, 혹시 훔친 것은 아닌지 장물 검사도 하고, 시스템 조회도 하고, 그리고 영희와 철수 간의 계약서를 달라고 해서 그 계약이 유효한지 확인하고... 이런 게 가능할까요? 현실적으로 거의 어려울 것입니다(애초에 볼펜을 팔면서 계약서까지 쓰는 경우도 있을지는 잘 모르겠습니다). 볼펜 하나 사는데 이렇게까지 해야 할까요?

그래서 우리 민법은 동산 거래의 안전과 원활을 꾀하기 위하여 특별히 동산에 관해서는 '점유'라는 공시방법을 신뢰한 자는 (설령 그 공시방법이 진실한 권리관계와 일치하지 않더라도) 그 권리취득을 인정해 주기로 하였는데, 이것이 바로 선의취득 제도입니다(김진우, 2005).

이제 제249조를 읽어 봅시다. 평온, 공연하게 동산을 양수한 사람이 선의, 무과실로 동산을 점유한 경우에는 그 동산을 양도한 사람이 정당한 소유자가 아니었다고 하더라도, 동산의 소유권을 문제없이 취득한다는 내용입니다. 그럼 선의취득의 요건을 하나씩 살펴봅시다.

*참고로 양수(讓受)란, 법률행위에 의한 권리(소유권)의 이전을 뜻합니다(다른 표현으로는 이를 '이전적 승계취득'이라고 합니다). 가장 대표적인 예로 매매를 통해서 소유권이 이전되는 것을 생각할 수 있겠지만, 반드시 매매만 있는 것은 아니고 증여, 질권설정, 대물변제, 양도담보계약, 경매 등도 이러한 양수의 개념에 포함된다고 합니다(김준호, 2017). 선의취득은 개별적인 거래를 보호하는 것이므로, 특정승계에 한정되고 상속이나 합병과 같은 포괄승계에는 인정되지 않는다고 합

니다(박동진, 2022). 여기서는 주로 매매를 중심으로 살펴볼 것이지만, 양수의 개념은 정확하게 아는 것이 좋을 듯하여 기재합니다.

1. 무권리자인 사람이 점유하고 있던 물건을 양도한 경우여야 한다.

일단 물건을 양도하는 사람은 무권리자(無權利者, 정당한 권리가 없는 사람)여야 합니다.

만약 양도인이 권리자였다면? 애초에 문제될 것이 없습니다. 정당한 권리자에게 돈을 주고 볼펜을 샀다, 그러면 산 사람이 이제 정당한 권리자가 되는 것 아니겠습니까? 그래서 선의취득의 논리가 성립하려면 일단 무권리자인 사람이 양도인이어야 합니다.

그리고 무권리자인 사람이 물건을 '점유'하고 있다가 양도하여야 합니다. 위에서 선의취득의 의의를 말씀드릴 때 눈치채셨겠지만, 동산의 거래행위에는 〈등기〉라는 제도가 없습니다. 그래서 안타깝지만 그나마 〈점유〉의 상태를 신뢰한 사람을 보호하고자 하는 것이 선의취득 제도의 취지인 겁니다. 그런데 점유도 하지 않는 상태인데 선의취득 제도를 적용하면 될까요? 애초에 제도의 취지에 어긋나는 결과가 되겠지요.

다만, 여기서 무권리자인 양도인의 '점유'는 간접점유나 타주점유라도 가능합니다. 복습 차원에서 말씀드리면 간접점유란 (물건을 직접 지배하는 직접점유와 달리) 점유매개관계를 전제로 하여 어떤 물건을 빌려 쓰거나 보관하는 등 물건을 직접 점유하는 사람에게 반환청구권을 가진 사람에게도 점유를 인정해 주는 제도라고 하였습니다.

제194조(간접점유) 지상권, 전세권, 질권, 사용대차, 임대차, 임치 기타의 관계로 타인으로 하여금 물건을 점유하게 한 자는 간접으로 점유권이 있다.

2. 그 물건은 〈선의취득의 대상〉이 되는 동산이어야 한다.

여기서 중요한 것은 사실 동산이라고 해서 모두 선의취득의 대상이 되는 것은 아니라는 겁니다.

"제249조에서는 〈동산〉이라고 적어 두었는데 무슨 소리입니까?"

네, 그렇긴 합니다. 하지만 마치 모든 동산이 되는 것처럼 적혀 있기는 한데 실제로 그렇게 해석되지는 않습니다. 그러면 어떤 것들이 제외되는 걸까요?

먼저 동산 중에서도 좀 특별한 동산이 있습니다. 바로 자동차, 선박, 건설기계, 항공기 같은 것들인데요. 이게 동산이 맞기는 맞는데 이런 동산은 별도의 공시방법이 존재합니다.

예를 들어 자동차의 경우 운전을 하는 분이라면 누구나 알겠지만

등록을 따로 합니다. 등록세도 냅니다. 즉 이러한 동산의 경우 굉장히 크기가 크고, 또 비용도 값비싼 만큼 위의 사례에서 말한 볼펜 따위(?)와는 다르게 별도의 공시방법이 존재하고, 따라서 선의취득 제도의 적용을 받을 필요가 없게 됩니다. 그래서 제외됩니다.

다음으로 문제되는 것은 금전입니다. 네, money를 말하는 겁니다. 동전이나 화폐는 분명히 동산 맞습니다. 부동산은 아니잖아요. 그런데 금전은 일반적인 동산과는 조금 다릅니다. 볼펜과 같은 동산은 〈글씨를 쓸 수 있다〉라는 명확한 기능과 개성이 있는 반면에, 금전은 오로지 거기에 표시된 가치를 위해서 제작된 것입니다. 즉, 개성이 없는 것이지요. 500원짜리 동전은 500원어치의 가치를 나타내어 유통시키기 위한 통화(通貨)에 불과한 것입니다.

물론 금전이라고 해도, 예외적으로 개성이 있는 경우도 있습니다. 예를 들어 19XX 연도에 발행된 기념주화 500원짜리 동전이 있다고 해봅시다. 굉장히 귀한 물건이어서 동전 수집가들 사이에서는 아주 인기 좋은 물건입니다. 그렇다면 이때의 이 동전은 단순히 '통화'가 아니라 물건으로서 가치를 가지고 거래되는 것이라고 보아야 할 것입니다.

학설에서는 위의 기념주화 같은 특성을 가지는 금전의 경우에는 선의취득의 대상이 되는 것에 이견이 없습니다(김진우, 2005: 149면). 다만 문제는 일반적으로 통화로 사용되는 금전입니다. 이 경우에는 선의취득이 대상이 되느냐, 되지 않느냐를 놓고 학설의 찬반

논란이 있습니다.

우리의 다수설은 금전은 선의취득의 대상이 되지 않는다는 입장으로 보입니다. 여러 교과서에도 대체로 그렇게 서술하고 있습니다. 즉 금전은 '선의'가 있는 취득이고 뭐고 일단 점유한 사람이 소유권이 있다고 보고, 다만 사후적으로 그 금전의 원래 소유자는 부당이득반환청구를 해서 문제를 해결하면 된다는 것입니다.

특히 서을오 교수는 우리 민법학계의 거목인 김증한·곽윤직 교수가 금전의 선의취득을 부인하는 입장을 취함으로써, 이러한 학설이 우리나라의 통설로 뿌리내리는 데에 결정적인 기여를 하였다고 분석하기도 하였습니다(서을오, 2014).

물론 이러한 통설에는 강한 반대 의견도 많이 있으니, 관심이 있으신 분들은 참고문헌을 찾아 읽어 보시면 좋을 듯합니다. 여기서는 다수설의 견해를 소개하는 정도로 넘어가도록 하겠습니다.

세번째로는 지시채권, 무기명채권, 그 밖에 유가증권의 경우가 있는데요, 이는 나중에 뒤에서 채권법을 공부할 때 나오겠지만 별도로 이들을 규율하는 규정이 있습니다. 그래서 굳이 선의취득에 관한 제249조를 적용할 이유가 없습니다(장재현, 2010). 역시 제외됩니다.

네번째로는 소위 불융통물(不融通物)이라고 하는 것인데요, 표현이 좀 어렵긴 한데 말 그대로 '융통'(거래)이 안 되는 물건이라고 보면 됩니다. 법학에서는 이를 권리의 객체가 될 수는 있으나 사법상

거래의 대상이 될 수는 없는 물건이라고 봅니다(이익선, 2017). 대표적인 예로 마약의 경우를 들 수 있을 것입니다. 마약의 경우 거래가 금지되어 있는 것이니까요. 이러한 불융통물 역시 선의취득의 대상에서 제외됩니다.

마지막으로는 '권리'를 생각해 볼 수 있는데요, 권리는 동산도 아니고 부동산도 아닙니다. 따라서 권리 그 자체에 제249조를 적용할 수는 없습니다. 판례 역시 "민법 제249조의 선의취득은 점유인도를 물권변동의 요건으로 하는 동산의 소유권취득에 관한 규정으로서(동법 제343조에 의하여 동산질권에도 준용) 저당권의 취득에는 적용될 수 없다."라고 하여 저당권의 선의취득을 부정한 바가 있습니다(대법원 1985. 12. 24. 선고 84다카2428 판결).

3. 양도인과 양수인 사이의 거래행위는 유효한 것이어야 한다.

양도인과 양수인 사이의 거래행위는 유효해야 합니다. 우리가 처음 얘기했던 사례를 다시 생각해 봅시다. 볼펜은 원소유자인 철수→영희→나착함으로 이동했습니다. 이 상황에서 철수-영희 사이의 거래행위는 문제가 있어서 무효라고 했습니다. 그래서 영희는 무권리자가 되는 거고요. 여기까지는 괜찮습니다.

그런데 여기서 영희-나착함 사이의 거래행위가 무효면 이건 선의취득 요건 달성에 실패한 겁니다. 애초에 그런 경우에는 나착함이 영희로부터 볼펜의 소유권을 취득할 가능성 자체가 없으니까요. 선의취득이고 뭐고 안됩니다.

우리의 판례 역시 "동산의 선의취득은 양도인이 무권리자라고 하는 점을 제외하고는 아무런 흠이 없는 거래행위이어야 성립한다."라고 하여 같은 입장을 취하고 있습니다(대법원 1995. 6. 29. 선고 94다22071 판결).

4. 양수인은 그 동산의 점유를 취득하여야 한다.

어찌 보면 당연한 말입니다. 위에서 유효한 거래행위가 있었다는 것은 동산이 유효하게 양도인으로부터 양수인에게 넘어갔다는 뜻이고, 점유의 이전(인도)이 있었다는 것입니다.

그런데 문제는 점유이전의 방법에 대해서 학설의 논란이 있는 것입니다. 우리는 예전에 동산물권이 변동되기 위한 공시방법으로 '인도(引渡, 점유이전)'가 필요하다고 했고, 그 인도의 방법으로 4가지를 배운 적이 있었습니다. 복습 차원에서 간단히 브리핑해 봅시다.

첫째, 현실의 인도입니다. 간단하게 양도인이 물건을 집어서 양수인에게 넘겨주는 것을 생각해 볼 수 있습니다.

둘째, 간이인도입니다. 양수인이 이미 물건을 점유하고 있는 독특한 상황일 때에는 양도인-양수인 간의 합의만으로도 인도의 효과가

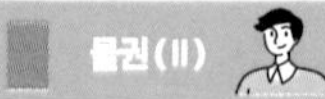

있는 것으로 보는 것입니다.

셋째, 점유개정입니다. 이번에는 양도인이 물건을 점유하고 있는 것은 맞는데, 동산물권을 양도하면서 당사자 간에 합의를 하여 양도인이 물건을 계속 점유하는 것으로 하는 것입니다. 이 경우 양도인은 직접점유자, 양수인은 간접점유자가 되는데, 왜 그런지는 간접점유를 이미 공부하였으므로 충분히 이해하시리라 생각합니다.

넷째, 목적물반환청구권의 양도입니다. 여기서는 제3자가 등장합니다. 목적이 되는 물건(동산)을 제3자가 점유하고 있는 상태일 때, 양도인은 그 제3자에게 갖고 있는 반환청구권을 양수인에게 넘겨줌으로써 동산을 인도한 것으로 퉁친다(?)는 것입니다. 원래는 양도인이 간접점유자, 제3자가 직접점유자인 상태인데 여기서 반환청구권을 양수인에게 넘겨줌으로써, 양수인을 간접점유자 겸 소유자로 만들어 버리는 형태인 것입니다.

이상의 내용이 어려운 분들은 점유와 인도에 관한 내용을 복습하고 오시면 좋을 듯합니다. 어쨌건 다시 선의취득으로 돌아가 봅시다. 지금 문제가 되는 것은, 선의취득의 요건인 〈양수인의 동산 점유 취득〉을 충족시키는 인도 방법에 대해서 학설의 논란이 있다는 것입니다. 즉, 어떤 것은 되고 어떤 것은 안된다는 논의가 있는 것인데요, 중요한 논의이므로 왜 그런지 살펴봅시다.

먼저 '현실의 인도'는 가장 기본적인 인도 방법이므로 당연히 선의취득의 요건을 충족시킬 수 있습니다. 무권리자인 양도인이 동산을 직접 넘겨주었고, 양수인이 평온, 공연, 선의, 무과실로 그 동산을 받아 점유하였다면 제249조에 따른 선의취득을 인정하는 데 전혀 문제가 없습니다.

'간이인도' 역시 가능합니다. 비록 현실의 인도는 아니지만, 양수인이 물건을 점유한다는 모양이 뚜렷하지 않습니까? 안될 것은 없어 보입니다. 우리의 판례 역시 "동산의 선의취득에 필요한 점유의 취득은 이미 현실적인 점유를 하고 있는 양수인에게는 간이인도에 의한 점유취득으로 그 요건은 충족된다."라고 하여 당연히 가능하다는 입장입니다(대법원 1981. 8. 20. 선고 80다2530 판결).

다음으로 '점유개정'은 안 됩니다. 우리의 다수설과 판례는 점유개정의 방법으로는 선의취득을 할 수 없다고 보고 있습니다. 왜 그럴까요? 생각해 봅시다.

여기 나거짓이라는 사람이 있습니다. 그는 최주인이라는 사람으로부터 자전거를 한 대 빌려서(임대차계약) 쓰고 있었습니다. 그런데 나거짓은 무권리자(자전거의 정당한 소유자가 아님)인데도 자신이 점유하고 있던 자전거를 '김호구'라는 사람에게 팔아 버렸습니다. 그러면서 김호구와 합의하여, 김호구로부터 자전거를 빌려쓰는 것으로 하고 자전거는 나거짓 본인이 직접 점유하는 것으로 하였습니다.

이렇게 되는 경우, 나거짓이 최주인으로부터 자전거를 빌려 쓰던 시절이건, 김호구에게 자전거를 팔고 자전거를 빌려 쓰는 것으로 하는 시절이건 간에 나거짓이 자전거를 직접점유하는 상태에는 변함이 없습니다. 즉 외부에서 제3자가 보기에는 뭐 변한 게 없다는 겁니다.

이와 같이 외부에서 거의 인식하기도 힘든 거래행위가 있을 때에는, 양수인(김호구)의 신뢰보다는 원소유자(최주인)의 이익을 더 존중할 필요가 있다는 것입니다. 원소유자(최주인)도 나거짓에게 자전거를 맡긴 상황, 양수인(김호구)도 나거짓에게 자전거를 맡긴 상황, 즉 둘 다 동등한 상황이니 이때에는 원소유자를 더 보호한다는 거지요(김진우, 2007).

우리의 판례 역시 "동산의 선의취득에 필요한 점유의 취득은 현실적인 인도가 있어야 하고 소위 점유개정에 의한 점유취득만으로서는 그 요건을 충족할 수 없다."라고 하여 점유개정에 의한 선의취득을 부인하는 입장에 있습니다(대법원 1964. 5. 5. 선고 63다775 판결).

다만, 학자 중에는 선의취득이 상대방의 점유 신뢰를 보호하는 제도인 이상 점유개정을 굳이 다른 인도와 다르게 취급할 이유가 없다고 보면서 점유개정으로도 선의취득이 가능하다고 비판하는 견해를 제시하는 분도 있습니다(최윤석, 2014). 어느 견해가 타당한지는 참고문헌 등을 읽어 보고 한번 생각하여 보시기 바랍니다. 일단 다수설과 판례는 부정설의 입장에 있다는 것 정도는 알고 지나가시는 것이 좋겠습니다.

마지막으로 '목적물반환청구권의 양도'의 경우에는 다수설과 판례가 '지명채권 양도의 대항요건'을 갖춘다면 선의취득의 요건 충족을 인정(점유를 취득하여야 한다는 요건을 인정)할 있다고 보고 있습니다(박동진, 2022:114면).

반면, 점유개정과 마찬가지로 목적물반환청구권의 양도 역시 외부에서 점유의 이전을 인식하기 어려운 행위이므로 선의취득의 요건으로 인정해 줄 수 없다는 등 반대 견해도 있습니다(김진우, 2007; 32-34면).

*지명채권 양도의 대항요건은 나중에 제450조에서 공부할 내용입니다. 여기서는 직접점유를 하고 있는 사람에 대하여 목적물반환청구권이 양도된다는 것을 통지하거나 승낙하여야 한다는 조건을 충족하면 된다고 대략 이해하시면 되겠습니다. 상세한 내용은 추후 채권편에서 살펴볼 것입니다.

판례는 "양도인이 소유자로부터 보관을 위탁받은 동산을 제3자에게 보관시킨 경우에 양도인이 그 제3자에 대한 반환청구권을 양수인에게 양도하고 지명채권 양도의 대항요건을 갖추었을 때에는 동산의 선의취득에 필요한 점유의 취득 요건을 충족한다."라고 하니(대법원 1999. 1. 26. 선고 97다48906 판결), 참고 바랍니다.

주의할 것은 판례의 입장은 지명채권 양도의 대항요건을 갖추었을 때 선의취득을 인정해 준다는 점입니다. 통지나 승낙 없이(대항요건을 갖춤이 없이) 그냥 순수하게 목적물반환청구권만 양도된 경우에는 선의취득이 인정되기 어려울 것입니다.

아직은 지명채권 양도에 대해 자세히 살펴보지 않았으니, 이 부분은 나중에 제450조를 공부하신 후 다시 한번 읽어 보시길 추천드립니다.

5. 양수인이 그 점유를 취득함에는 평온·공연, 선의·무과실이어야 한다.

마지막 요건입니다. 제249조에 명확히 나와 있습니다. 평온, 공연, 선의, 무과실의 개념은 이미 여러 번 공부하였으므로 따로 언급할 필요는 없을 듯하네요. 다만, 여기서 〈선의〉란 양수인이 물건(동산)을 취득하던 때에 양도인이 무권리자라는 사실을 몰랐다는 것을 의미*하고, 〈무과실〉이란 양수인이 저런 사실을 몰랐다는 것에 대해서 과실이 없다는 것을 의미한다는 정도를 알아 두시면 되겠습니다.

*단순히 몰랐다는 사실에서 더 나아가 적극적인 의미에서 양도인을 진정한 권리자로 믿고 거래를 한 정도까지 되어야 한다고 엄격하게 해석하여야 한다는 견해도 있습니다(김진우, 2011).

우리가 공부했던 민법 제197조에 의하면 평온, 공연, 선의는 추정됩니다. 따라서 선의취득을 주장하는 사람 입장에서는 좀 더 마음이 편합니다. 반면 이를 반대편에서 부인하고자 하는 사람 입장에서는 (선의취득을 주장하는 사람의) 평온, 공연, 선의의 요건이 충족되지 않았다고 의심하는 경우 이를 깨뜨려야 하는 입증의 부담이 있습니다.

제197조(점유의 태양) ①점유자는 소유의 의사로 선의, 평온 및 공연하게 점유한 것으로 추정한다.
②선의의 점유자라도 본권에 관한 소에 패소한 때에는 그 소가 제기된 때로부터 악의의 점유자로 본다.

문제는 무과실의 요건입니다. 제197조에는 무과실이 추정된다는 말은 없습니다. 이에 대해서는 학설의 논란이 있습니다. 양수인이 무과실인 것까지 추정이 된다는 견해도 있고 안된다는 견해도 있는데, 이 논란까지 상세히 기술하는 것은 너무 분량이 긴 것 같고, 판례의 입장 정도만 이해하고 넘어가시면 될 듯합니다.

판례는 "그렇다면 피고는 본건 봉밀이 타인의 소유임을 알았거나, 몰랐다면 거기에 과실이 있었음이 뚜렷함에도 원심은 이 과실유무에 대한 피고로 부터의 입증을 가려 판단함이 없이 덮어놓고 본건 봉밀까지 인도 받았으면 무과실도 추정되는 양 특단의 사정이 없는 한 즉시 그 소유권을 취득한다고 판시한 것은 동산 즉시취득에 관한 법리를 오해하여 심리를 다하지 않았거나 채증법칙을 어겨 사실을 그릇 인정한 허물을 면치 못할 것이므로 이점을 논난하는 상고논지는 이유있다."라고 하여(대법원 1968. 9. 3. 선고 68다169 판결), 무과실은 추정되는 것이 아니고 양수인이 이를 증명하여야 한다고 보고 있습니다.

지금까지 우리는 동산소유권의 선의취득에 필요한 요건을 알아보았습니다. 위에서 말한 요건을 충족하게 되면, 양수인은 그 즉시 동산의 소유권을 취득하게 됩니다. 따라서 제일 처음에 말했던 철수-영희-나착함의 사례에서도 나착함이 (요건을 충족하기만 한다면) 볼펜의 소유자가 될 수 있는 것입니다.

그런데 여기서 한 가지 궁금한 점이 생깁니다. "이러면 원소유자인 철수가 너무 억울하지 않나요? 철수는 아무 죄도 없는데 자기 볼펜을 빼앗긴 것이 아닙니까?"

그렇습니다. 선의취득 제도라는 것이 존재하는 한, '억울한 원소유자'는 항상 발생할 가능성이 있습니다. 이러한 경우, 원소유자는 누구에게 책임을 물어야 할까요?

여기 딱 보면 제일 나쁜 놈(?)이 하나 있습니다. 바로 자기 물건이 아닌데도 다른 사람에게 볼펜을 팔아치운 사람입니다. 양도인(영희)

이죠. 나착함은 이런 상황을 몰랐으니까 나쁜 놈이라고는 말할 수 없습니다. 어찌 보면 나착함도 피해자인 거지요.

양도인이 양수인과의 거래행위로 얻은 이득은 부당이득이 되고, 원소유자(철수)에게 반환하여야 합니다. 만약 귀책사유 등이 존재한다면, 철수는 영희에게 불법행위나 채무불이행에 따른 손해배상책임을 물을 수도 있을 것입니다(김준호, 2017; 544면). 이처럼 원소유자가 너무 억울하지는 않도록 어느 정도 법적인 장치를 두고 있다는 점은 기억해 두실 필요가 있습니다.

하지만 그래도 볼펜을 뺏긴 철수가 너무 억울하다 싶을 수 있는데, 그래서 우리 민법은 이런 억울한 철수를 위하여 특별한 규정을 따로 두고 있습니다. 그것이 바로 내일 배울 내용입니다. 오늘 공부한 내용을 천천히 읽어 꼭 이해하고 넘어가시길 바라며, 내일은 도품, 유실물의 특례에 대해 알아보겠습니다.

*참고문헌

김용담 편집대표, 「주석민법 물권1(제4판)」, 한국사법행정학회, 2011, 816면(김진우).

김준호, 「민법강의(제23판)」, 법문사, 2017, 541면.

김진우, "점유이탈물과 선의취득", 「인권과 정의」 제341호, 2005, 146면.

김진우, "목적물반환청구권의 양도에 의한 선의취득?", 「민사법학」 제39-1호, 2007, 28-29면.

박동진, 「물권법강의(제2판)」, 법문사, 2022, 116면.

서을오, "금전의 선의취득: 민법 제250조 단서의 학설사", 「법학논집」 제19권제2호, 2014, 79-82면.

이익선, 「법학개론」, 하이안북스, 2017, 204면.

장재현, 「주석민법」, 정림사, 2010, 238면.

최윤석, "동산선의취득의 문제에 관한 연구-점유개정과 목적물반환청구권의 양도를 중심으로-", 「민사법학」 제68호, 2014, 740면.

제250조(도품, 유실물에 대한 특례)

> 전조의 경우에 그 동산이 도품이나 유실물인 때에는 피해자 또는 유실자는 도난 또는 유실한 날로부터 2년내에 그 물건의 반환을 청구할 수 있다. 그러나 도품이나 유실물이 금전인 때에는 그러하지 아니하다.

어제 공부한 선의취득의 내용은 충분히 이해하셨나요? 이를 바탕으로 제250조를 살펴보도록 하겠습니다.

먼저 단어를 살펴보면, 도품(盜品)이란 쉽게 말해서 도둑맞은 물건이지만, 법학에서는 약간 더 정교하게 개념이 구성되어 있습니다. 즉 "절도 또는 강도의 경우와 같이 원권리자의 의사에 반하여 점유가 박탈된 물건"이라고 합니다. 이 문장을 잘 읽어 보시면 알겠지만, 원래 권리자의 의사에 반하지 '않게' 점유가 이전된 경우는 해당되지 않겠지요? 다시 말해 사기·공갈·횡령으로 물건을 뜯어낸(?) 경우에는 원래 권리자도 (그 당시에는 속아서) 물건을 스스로 건네준 것이므로, 결국은 〈의사에 반(反)한〉 것이 아니게 됩니다. 이런 경우는 도품에 해당하지 않는 거지요(김진우, 2011). 이 부분 주의하시기 바랍니다.

한편, 유실물(遺失物)이란 잃어버린 물건을 말합니다. 위의 '도품'이 절도·강도에 의해서 적극적으로 점유를 빼앗긴 물건이라면, 유실물은 소극적인 의미에서 점유자의 의사에 의하지 않고, (잃어버림

으로써) 점유를 이탈한 물건을 말하는 것입니다(장재현, 2010).

우리의 판례는 이에 대해서 "민법 제250조, 제251조 소정의 도품, 유실물이란 원권리자로부터 점유를 수탁한 사람이 적극적으로 제3자에게 부정 처분한 경우와 같은 위탁물 횡령의 경우는 포함되지 아니하고 또한 점유보조자 내지 소지기관의 횡령처럼 형사법상 절도죄가 되는 경우도 형사법과 민사법의 경우를 동일시 해야 하는 것은 아닐 뿐만 아니라 진정한 권리자와 선의의 거래 상대방간의 이익형량의 필요성에 있어서 위탁물 횡령의 경우와 다를 바 없으므로 이 역시 민법 제250조의 도품·유실물에 해당되지 않는다."라고 하고 있으므로(대법원 1991. 3. 22. 선고, 91다70, 판결) 참고 삼아 읽어 보시면 좋을 듯합니다.

사실 이 판례에서는 점원과 같은 점유보조자의 절도, 형법상 절도죄에 대한 이해 등이 요구되므로 여기서는 생략하고 넘어가도록 하겠습니다. 일단 우리의 대법원은 점유보조자가 가게의 물건을 마음대로 처분해 버린 경우에는 소유자(점유자)의 의사가 관여되었다는 점에서 해당 물건을 도품으로 보지는 않는다는 점 정도만 이해하시면 되겠습니다. 따라서 도품이 아니므로 제249조에 따라 선의취득 규정이 적용되겠지요.

자, 그러면 제250조를 다시 봅시다. 제250조에서는 제249조에서 규정한 선의취득에도 불구하고, 그 물건이 도품이나 유실물인 경우에는 피해자(또는 잃어버린 사람)이 2년 이내에 물건을 되돌려줄

것을 청구할 수 있다고 말합니다. 단서 부분은 이따가 살펴볼게요.

제250조는 결국 제249조의 예외에 해당하는 특별한 규정입니다. 예를 들어보겠습니다. 철수는 시계를 가지고 있었는데, 나도둑이라는 사람이 원권리자(원소유자)인 철수의 의사에 반하여 그 시계를 훔쳐 달아났습니다. 그리고 나도둑은 그 시계를 영희에게 팔았고, 영희는 시계를 평온, 공연, 선의, 무과실로 점유하였습니다.

원래대로라면 제249조에 따라 영희는 시계의 소유권을 온전히 취득할 겁니다. 그러나 제250조는 해당 시계가 도품이기 때문에 원권리자인 철수가 반환청구권을 가지는 것으로 봅니다.

따라서 영희는 철수에게서 "그건 도둑맞은 내 시계입니다. 돌려주세요."라는 청구를 받으면 시계를 돌려주어야 합니다. 결국 영희는 괜히 이상한 물건을 샀다가 2년간 언제 '청구'가 있을지 전전긍긍하는 상태가 된 겁니다.

그런데 한 가지 고민이 생깁니다. 일단 제250조가 제249조의 특칙인 것은 알겠는데, 그러면 위의 사례에서 영희는 〈일단 점유했을 때 소유권을 취득했다가 철수가 반환청구권을 행사하면 소유권을 잃는〉 것일까요? 아니면 〈일단 점유했을 때에도 소유권을 제대로 취득할 수 없으며, 2년간 철수가 반환청구권을 행사하지 않았을 때에야 겨우 소유권을 취득하는〉 것일까요? 헷갈립니다.

이에 대해서 학설의 견해는 나뉩니다. 일단 우리 학계의 다수 견해는 점유자(영희)의 경우 평온, 공연, 선의, 무과실하게 동산을 점유한 순간 일단 제249조에 따라 그 소유권을 취득하고, 다만 2년의 기간 내에 원소유자(철수)가 물건을 되돌려줄 것을 청구하는 경우에는 소유권을 상실하는(원소유자의 권리 회복) 것으로 해석하고 있습니다.

이에 비하여 소수 학설에서는 소유권은 원래 소유자(철수)에게 계속 있으며, 단지 2년의 기간 내에 그가 반환청구권을 행사하지 아니하면 그때가 되어서야 점유자(영희)가 소유권을 얻게 된다고 주장하고 있습니다(김진우, 2005). 어느 견해에 따르건 반환청구권의 행사가 있은 후에는 철수가 소유권을 갖는다는 결론은 같은데, 어떤 견해가 타당한지는 스스로 생각하여 보시기 바랍니다.

이제 제250조 단서도 볼까요? 단서에는 도품이나 유실물이더라도 〈금전〉에 해당하는 경우에는 적용하지 않는다고 되어 있습니다. 제250조 본문은 "제249조에 대한 예외"를 규정하고 있는데, 제250조 단서는 또다시 "제250조 본문에 대한 예외"(예외의 예외?)를 규정하고 있는 모양새인 겁니다.

그러면 이런 궁금함이 생길 수 있습니다. “무슨 소리인가요? 분명히 어제 제249조를 공부할 때에는 금전은 선의취득의 대상이 되지 않는다는 것이 다수설이라고 하지 않았나요? 그런데 애초에 선의취득의 대상이 되지도 않는다면, 굳이 제250조 단서에서 예외를 둘 필요도 없지 않나요? 애초에 제249조 적용을 안 받는데 왜 굳이?”

타당한 질문입니다. 많은 학자들도 이 부분에 대해 고민하였습니다. 지금 이대로라면 얼핏 보기에 다수설의 논리가 말이 안 되는 것처럼 보입니다. 그러나 이렇게 해석해 보세요. 어제 말하기를, 금전은 두 가지 종류가 있다고 했습니다.

일반적으로 통화로서 사용되는 화폐인 금전과, 독특하게 물건으로서 가치를 가지는 금전(예를 들면 중고시장에서 거래되는 기념주화 같은 것)이 있다고 했습니다.

학계의 통설은 제250조 단서에서 말하는 '금전'은 바로 (통화로서 기능하는) 일반적인 의미의 금전이 아니라, 바로 예외적으로 '물건으로 거래가 되는 금전'을 말한다고 해석합니다. 이러한 금전의 경우 (다수설에 따라서도) 제249조 선의취득 규정의 적용을 받기 때문에, 제250조 단서에서 충분히 그 '예외의 예외'로 규정하는 의미가 있게 됩니다.

이런 다수설에 의하면 제250조 단서를 둔 취지는 이렇게 해석할 수 있습니다. 금전이라는 것이 누군가에게는 평범한 500원짜리 동전일 수 있지만, 누군가에게는 아주 가치 있는 희귀한 기념주화일 수도 있다는 겁니다. 그러면 선의취득을 한 금전(기념주화와 같은 독특한 금전을 말함)을 선의취득자는 그냥 평범한 500원짜리로 생각하고 써버릴 수도 있으므로, 이런 경우까지 '반환청구권'을 인정하기는 어렵기에 제250조 '본문'으로부터 예외로 만들어 버렸다는 거지요(서을오, 2014). 복잡한 논리입니다만, 애초에 복잡하게 만들어진 논리니까 복잡하게 느껴지신다고 해도 전혀 이상하지 않습니다.

물론 이와 같은 다수설에 대해서는 제250조 단서에서 말하는 '금전'은 모든 금전을 의미하는 것이라는 비판이 제기됩니다. 이러한 소수 견해에 대해서까지 상세히 저술할 필요까지는 없을 것 같아, 관심이 있으신 분들은 참고문헌을 확인하여 읽어 보시면 좋을 듯합니다. 여기서는 다수견해에 따라 제249조 및 제250조 단서를 해석할 때 헷갈리지 않는 것이 중요합니다.

오늘은 선의취득의 예외에 해당하는 특별한 규정으로서 도품과 유실물에 관한 조문을 살펴보았습니다. 그럼 본질로 돌아가, 제250조와 같은 선의취득의 예외를 만들어둔 이유는 무엇일까요? 왜 이런 조문이 필요한 걸까요? 그 이유를 생각해 봅시다.

제250조가 적용되는 사안은 도품이나 유실물의 경우입니다. 그런데 이와 같은 사안은 다른 경우와는 달리 처음부터 아예 원래의 소유자가 전혀 관여하지 않았던 경우라고 할 수 있습니다.

예를 들어 A가 B에게 물건을 팔았고, 그 팔린 물건을 C가 사들였는데 A와 B 사이의 매매계약이 취소된다면, C는 자신이 물건을 선의취득하였음을 주장할 수 있을 것입니다. 여기서 최소한 A는 자신이 일단 물건을 B에게 팔았다는 행위 자체는 했죠(그게 아주 큰 잘못이라는 이야기는 아닙니다).

반면, B가 A에게서 물건을 훔쳐 C에게 팔았다면, 이 경우의 A는 앞의 사례에서보다 훨씬 억울할 수 있을 것입니다. A는 정말 아무것도 하지 않았는데 자기 물건을 도둑맞았고, 그럼에도 불구하고 C의 선의취득이 인정되는 것은 가혹하다고 생각할 수도 있다는 것입니다.

즉, 제250조는 이처럼 도품이나 유실물의 경우 소유자의 관여가 전혀 없었으므로, 이와 같은 경우에는 양수인의 정당한 신뢰보다 원소유자의 소유권을 더 강하게 보호할 필요가 있다는 취지가 담겨 있는 것입니다(박동진, 2022).

그런데 또 여기까지 읽고 나면, 이번에는 (어제 공부할 때와 달리) 선의취득을 하려고 했던 사람이 조금 불쌍해지기도 합니다.

위의 사례에서 영희의 경우는 어쩔 수 없이 피를 보게 되겠지만, 영희가 아닌 다른 좀 특별한 케이스인 경우에는 선의취득자가 보호를 받아야 할 필요성도 있습니다. 바로 그 부분에 대해서 내일 공부하도록 하겠습니다.

*참고문헌

김용담 편집대표, 「주석민법 물권1(제4판)」, 한국사법행정학회, 2011, 825면(김진우).

김진우, "점유이탈물과 선의취득", 「인권과 정의」 제341호, 2005, 154-155면.

박동진, 「물권법강의(제2판)」, 법문사, 2022, 120면.

장재현, 「주석민법」, 정림사, 2010, 240면.

서을오, "금전의 선의취득: 민법 제250조 단서의 학설사", 「법학논집」 제19권 제2호, 2014, 61-62면.

제251조(도품, 유실물에 대한 특례)

양수인이 도품 또는 유실물을 경매나 공개시장에서 또는 동종류의 물건을 판매하는 상인에게서 선의로 매수한 때에는 피해자 또는 유실자는 양수인이 지급한 대가를 변상하고 그 물건의 반환을 청구할 수 있다.

자, 이런 사례를 생각해 봅시다. 영희는 어느 날 길을 가다가 잡화점을 지나게 되었습니다. 잡화점은 필기구를 전문으로 취급하는 곳이었는데, 진열되어 있는 볼펜들이 예쁜 것이 많아 영희의 마음에 쏙 들었습니다. 영희는 이에 가게에 들어가서 볼펜을 하나 골라 샀습니다.

그런데 영희가 가게를 나올 때 철수가 등장합니다. "그 볼펜은 제 것입니다. 돌려주십시오." 영희는 무슨 소리냐면서 화를 냈지만, 철수는 계속 주장합니다.

"이 가게의 사장은 나도둑이라는 사람입니다. 그는 며칠 전 내 볼펜을 훔쳤습니다. 따라서 그 볼펜은 원래 제 것이니, 돌려주십시오."

영희는 당황스럽고 조금 억울하기도 합니다. 자기는 그냥 지나가다가 가게에서 물건을 산 것뿐인데, 물건을 내놓아야 한다니요.

철수의 말이 맞다고 한다면, 영희는 그 볼펜을 정말 돌려주어야 할까요? 네, 그렇습니다. 그러나 제251조는 영희를 조금 더 보호하

고자 합니다. 볼펜을 돌려주기는 돌려주되, 철수는 영희가 볼펜을 사느라 쓴 돈을 변상하여야 한다는 것입니다.

결국 제251조가 적용되느냐, 안 되느냐는 물건을 산 사람 입장에서는 뜬금없이 나타난 '원소유자'에게 물건을 그냥 돌려주느냐, 아니면 돈을 변상받고 돌려주느냐를 결정하는 문제이므로 매우 중요하다고 하겠습니다.

물론 원소유자에게 돈을 못 받을 경우일지라도, 물건을 팔았던 사람에게 쫓아가 손해배상 등을 요구할 수 있겠지만, 훨씬 과정이 번거롭고 힘들 것입니다. 그리고 보통 도품을 팔아치운 사람이라면 일단 연락이 잘 안되겠죠...

제251조는 특별히 경매, 공개시장, 상인으로부터 (선의로) 매수한 경우의 양수인을 보호하고 있습니다. 경매(競賣)란 "물건을 팔고자 하는 사람(매도인)이 물건을 사고자 하는 다수의 사람(매수희망인)에게 매수의 청약을 실시해서 그중 가장 높은 가격으로 청약을 한 사람에게 물건을 매도하는 형태의 거래"(찾기쉬운 생활법령정보)를 말한다고 하며, 때로 빚을 갚지 못한 채무자에 대해서 채권자가 자신의 채권을 회수하기 위해서 채무자의 재산을 매각하는 방식의 경매도 포함합니다.

특히 제251조에서 말하는 경매는 통상의 강제경매, 담보권 등의 실행을 위한 경매, 공적 경매, 사적 경매, 구두, 입찰을 따지지 않고

넓게 포함하는 개념이라고 합니다(김진우, 2019). 여기서 통상의 강제경매니 담보권 등의 실행을 위한 경매니 하는 말들이 와 닿지 않으실 텐데, 아직 이것들을 공부하지 않았으므로 어색한 것은 당연합니다. 그냥 경매라는 것이 있구나, 라는 정도로만 알고 지나가도록 하겠습니다.

예를 들어 어떤 물건을 인터넷 경매사이트에서 구입했다고 하면, 그것도 제251조에서 말하는 '경매'에 해당될 여지가 있습니다. 따라서 누군가가 나타나 물건을 되돌려 달라고 할 때에도 최소한 물건을 살 때 쓴 돈 정도는 보전할 수 있게 됩니다. 물건을 산 사람 입장에서는 그나마 다행인 일입니다.

한편 공개시장이란, 말 그대로 '공개'된 시장이라는 것인데 일반 대중을 상대로 물건을 파는 점포 같은 것도 이에 해당합니다. 또한 동종류(같은 종류)의 물건을 판매하는 상인이라고 하는 건, 점포를 가지지 아니하고 같은 종류의 물건(위의 사례에서는 볼펜. 그러나 오직 볼펜만 죽어라 팔아야 하는 것은 아니고 볼펜 외에 다른 물건을 좀 팔아도 상관은 없음)을 판매하는 상인으로서 주로 행상인을 말하는 것입니다(김진우, 2019).

결국 위의 사례에서 영희는 점포에서 볼펜을 구입한 것이 되므로 다행히 제251조의 적용을 받을 여지가 있게 됩니다. 만약 영희가 점포에서 볼펜을 사지 않고 지나가던 사람(행상인은 아니라고 가정합니다)에게 그냥 사들였다면 제251조의 적용을 받지 못했겠지요.

그러면, 지나가던 사람에게 산 사람과 공개시장 등에서 산 사람 사이에 왜 이런 차별을 두는 걸까요? 그것은 아무래도 공개시장, 경매 등에서 물건을 가져온 양수인은 좀 더 보호받을 만한 '신뢰'를 가지고 있다고 보기 때문입니다.

솔직히 지나가는데 어떤 음침하게 생긴 사람이, "좋은 볼펜 있습니다. 싸게 넘길게요." 이렇게 말하면 좀 수상하지 않습니까? 이건 의심을 안 하는 게 이상합니다. 반면 큰 점포에서 파는 볼펜이라면 설마 도품이라고 생각하는 사람은 별로 많지 않을 겁니다. 그만큼 신뢰하기가 쉽지요. 그래서 신뢰가 더 큰 쪽을 더 보호하겠다는 겁니다.

최근에는 중고 물건 거래 사이트가 활발하게 운영되고 있는데 이런 곳에서 특히 도품이 거래되는 경우가 많아서 민법 제250조나 제251조가 적용될 만한 사례가 발생하고는 합니다. 그러나 아쉽게도 아직까지 중고 거래 사이트가 민법 제251조의 [공개시장]에 해당하는지에 대해서는 대법원 판례가 없습니다. 된다는 견해도 있고, 그렇게 해석하기 어렵다는 견해도 있습니다.

사실 보수적으로 '안전하게' 접근하면, 그냥 중고 거래 사이트는 제251조에 해당 안된다고 생각하고 일을 진행하는 게 구매자 입장에서는 마음이 편합니다(제251조에 해당 안 되면 제250조에 따라 대가를 못 받고 그냥 돌려줘야 한다는 것입니다).

괜히 중고 거래 사이트 같은 곳에서 물건을 샀다가 나중에 도품이라고 하면서 원래 소유자에게 그냥 돌려줘야 하는 경우가 발생할 수 있으니, 조심해야 한다는 것이죠. 항상 중고 물품 거래를 할 때에는 판매자의 신원과 물건의 출처 등을 어떻게든 확인할 필요가 있겠습니다. 물건의 값이 비쌀수록 더 그래야겠지요.

그런데 경매, 공개시장, 같은 종류의 물건 파는 상인 중 하나에 해당한다고 해서 아직 끝난 것은 아닙니다. 요건이 하나 더 있습니다. 제251조에 의하면, '선의'로 매수하여야 합니다. 즉 위의 사례에서 영희가 점포에서 볼펜을 구입할 때 그것이 (철수에게서 나도둑이 훔친) 도품이라는 사정을 몰랐어야 합니다.

뿐만 아니라, 제251조에 명확히 나와 있지는 않지만 우리 판례는 "민법 제251조는 민법 제249조와 제250조를 전제로 하고 있는 규정이므로 무과실도 당연한 요건이라고 해석하여야 한다"라고 보고 있으므로(대법원 1991. 3. 22. 선고 91다70 판결) '선의' 뿐만 아니라 '무과실'도 요건입니다. 따라서 영희는 그 볼펜이 도품이라는 사실을 몰랐던 데에 과실도 없어야 합니다.

최근에는 전자기기나 좀 비싼 물건의 경우 시리얼 넘버라든가 제품 일련번호 등이 있어 도난 및 분실 여부를 확인할 수 있는 경우도 있는데요. 상황에 따라 다르겠으나 만약 쉽게 이런 정보를 확인할 수 있는 물건이라면 '무과실'을 주장하기는 상당히 어려울 수도 있습니다. 결국 중요한 것은 항상 물건을 살 때 잘 알아보고 사야 한다는 겁니다.

마지막으로, 학설과 판례는 제251조에 따라 물건의 양수인이 대가변상을 받을 수 있는 권리는 단순한 항변권이 아니라, 청구권을 준 것이라고 해석하고 있습니다(박동진, 2022). 이게 무슨 말일까요? 단순한 항변권이라고 해석하면, 그건 양수인이 원소유자가 돈을 내놓을 때까지 물건을 돌려주지 않고 버틸 수 있다는 것을 의미합니다(단순히 거절할 수 있는 권리). 반대로 만약 멋모르고 일단 물건을 돌려줬다면, 그 뒤에 원소유자에게 변상을 받아내는 것이 어렵다는 겁니다.

하지만 이것을 청구권으로 해석하면 어떻게 될까요? 설령 멋모르고 물건을 먼저 돌려줬더라도, 양수인은 여전히 원소유자에게 대가변상을 청구할 수 있는 권리가 있습니다. 즉, 양수인을 더 강하게 보호할 수 있게 됩니다.

오늘은 도품, 유실품의 특례에 대해 마무리하였습니다. 내일은 무주물의 귀속에 대하여 알아보겠습니다.

*참고문헌

김용덕 편집대표, 「주석민법 물권1(제5판)」, 한국사법행정학회, 2019, 967-968면(김진우).

박동진, 「물권법강의(제2판)」, 법문사, 2022, 122면.

찾기쉬운 생활법령정보,

http://easylaw.go.kr/CSP/CnpClsMain.laf?popMenu=ov&csmSeq=306&ccfNo=1&cciNo=1&cnpClsNo=1, 2023. 1. 23. 확인.

제252조(무주물의 귀속)

①무주의 동산을 소유의 의사로 점유한 자는 그 소유권을 취득한다.
②무주의 부동산은 국유로 한다.
③야생하는 동물은 무주물로 하고 사양하는 야생동물도 다시 야생상태로 돌아가면 무주물로 한다.

무주물(無主物)이란, 한자를 보면 아시겠지만 주인이 없는 물건이라는 뜻입니다. 주인이 없다는 것은 소유권을 갖고 있는 사람이 없다는 겁니다. 그러니까 누군가가 잃어버린 물건은 무주물이 아닙니다. 그건 소유권이 누군가에게 귀속되어 있는데, 다만 그 주인의 손에서 이탈한 것일 뿐이니까요. 그러니 길바닥에 동산이 떨어져 있다고 해서 무조건 "오, 무주물의 동산이군! 먼저 주우면 내 것이다." 이러고 가져가면 안 됩니다.

한편 소유권이 누구에게도 인정되지 않는다는 것은 '현재'를 기준으로 하는 것입니다. 따라서 아주 옛날에, 예를 들어 조선 초기에 살았던 김서방이 사용한 똥지게는 분명히 김서방에게 소유권이 귀속되어 '있었습니다'.

그러나 수백 년이 지나 발견된 똥지게는, 과거에는 김서방의 소유물이었으나 지금은 누군가의 소유라고 하기 어려우므로 무주물이라고 볼 수 있습니다. 문화재에 관련된 세부적인 논의는 여기서는 일단 생략하고 넘어가도록 하겠습니다.

이제 제252조제1항을 봅시다. 무주의 '동산'을 소유의 의사로 점유(자주점유)하는 자는 그 소유권을 취득한다고 합니다. 무주물 중에서 동산에 대해서 특별히 규율하고 있는 규정입니다. 따라서 주인이 없는 볼펜을 소유의 의사로 점유하게 되면, 그 사람은 그 볼펜의 소유권을 취득하게 되는 것입니다. 표현이 거칠지만 먼저 차지하는 사람이 장땡이라는 겁니다. 이를 '먼저 갖는다'라고 하여 무주물선점(無主物善占)이라고 합니다.

무주물선점은 당사자의 의사표시가 포함되어 있는 법률요건이 아니므로, 법률행위가 아닙니다. 이는 행위자의 의사와 관계없이 법률의 규정에 따라 법적 효과가 발생하므로, 준법률행위이자 사실행위라고 하겠습니다. 기억이 잘 안나는 분들은 법률행위의 개념에 대해서 총칙 편을 참고하여 복습하시면 좋을 듯합니다.

이제 제2항을 봅시다. 이번에는 부동산에 대한 규정입니다. 주인이 없는 '부동산'의 경우, 국유로 한다고 합니다. 나라가 갖는 겁니다. 동산과 부동산에 대해서 제252조가 서로 다르게 취급하고 있다는 점에 주의하세요.

제3항을 보겠습니다. 야생 동물은 무주물로 본다고 합니다. '사양'(飼養)이라는 안 쓰는 단어가 나오는데, '먹일 사'에 '기를 양'의 한자를 쓰며, 결국 키운다는 뜻입니다. 그러니까 누가 기르고 있던 야생동물이라고 하더라도 다시 야생의 상태로 돌아가게 되면 이 역시 무주물로 본다는 것입니다.

우리가 민법에 따른 '물건'의 개념을 공부했던 것을 기억하시나요? 바로 제98조였습니다. 그리고 그 개념 정의에 의하면, 개나 고양이 같은 동물들도 '물건'에 해당하게 됩니다. "생명을 물건이라고 하다니!" 하고 분노하실 수도 있지만, 민법상 그렇게 정의되어 있는 것은 사실입니다.

제98조(물건의 정의) 본법에서 물건이라 함은 유체물 및 전기 기타 관리할 수 있는 자연력을 말한다.

따라서 우리가 사랑하는 반려동물이라고 하더라도 적어도 민법에서는 물건에 해당하며, '동산'이 됩니다. 제252조제1항에서는 '동산'의 무주물선점에 대해 이야기하고 있으므로, 동물도 논리상 당연히 이에 해당하게 되는 것입니다. 다만 "어떤 동물이 무주물인가?"에 대해서는 논란이 있을 수 있으므로 제3항을 두어 상세히 규율하고 있다고 보시면 되겠습니다.

동물의 법적 지위에 대해서는 학계에서 논의가 많고, 또 독일 같은 경우는 아예 '동물은 물건이 아니다'라는 별도의 조문을 넣는 등 참고할 만한 해외의 입법례도 많이 있기 때문에(박정기, 2010) 관심이 있으신 분들은 따로 검색하여 보시면 좋을 듯합니다.

무주물과 관련해서는 또 하나 재미있는 사건을 생각해 볼 수 있습니다. 지난 2014년 우리나라를 떠들썩하게 했던 '진주 운석' 사건입니다. 진주시에 운석이 떨어졌는데, 그 운석이 상당히 희귀하다고 알려져 '하늘에서 떨어진 로또'라는 둥, 해외에 1g당 수백 만원에 팔았다는 둥 갖은 루머를 양산했던 사건이지요.

이런 운석의 경우가 바로 무주물이라고 할 수 있습니다. 이건 주인이 원래부터 없었다는 게 일단 명확합니다. 그리고 동산이지요. 따라서 소유의 의사로 먼저 점유한 사람이 그 운석의 소유자가 됩니다. 그래서 정부에서도 학술 및 연구의 차원에서 이를 매입하려고 하였지만, 안타깝게도 매입에 성공하지 못한 듯합니다. 2020년의 기사에 따르면, 아직도 소유자들이 운석을 보유하고 있다고 하네요(한국일보, 2020). 그 당시에도 학술, 기예 또는 고고의 중요한 재료가 되는 물건은 국유로 한다는 규정이 있었습니다만(나중에 공부할 민법 제255조), 아마도 진주 운석이 이에 해당되지는 않는다고 보았던 것 같습니다.

물론, 해당 사건 이후 운석에 대한 사회적 관심이 커지면서 정부에서는 「우주개발 진흥법」을 일부 개정하여 운석 등록제를 마련하는 등 법적인 제도를 만들기도 하였습니다만, 그렇다고 해서 민법에 따른 무주물 선점의 법리를 없앤 것은 아닙니다. 여전히 운석을 무주물 선점한 경우에는 소유자가 되는 건데, 다만 그 운석을 정부에 등록하게 해서 따로 관리하겠다는 거지요. 그리고 소유와 무관하게

(별개로) 국외로 함부로 반출하지 못하도록 '우주개발 진흥법'에서 규정하고 있다는 점도 재미 삼아 알아 두면 좋을 듯합니다.

오늘은 동산 및 부동산이 무주물인 경우의 소유권 문제에 대해 알아보았습니다. 내일은 유실물의 소유권 취득에 대하여 알아보도록 하겠습니다.

*참고문헌

박정기, "동물의 법적 지위에 관한 연구", 「법학연구」 제51권 제3호, 2010, 26면.

한국일보, "'하늘에서 온 로또' 라던 '6년 전 진주 운석'...어디 있을까", 2020.9.26.자, https://www.hankookilbo.com/News/Read/A2020092417140002065, 2024.1.4. 확인.

제253조(유실물의 소유권취득)

유실물은 법률에 정한 바에 의하여 공고한 후 6개월 내에 그 소유자가 권리를 주장하지 아니하면 습득자가 그 소유권을 취득한다.

제253조는 유실물에 대해 규율합니다. 유실물(遺失物)이란 무엇일까요? 유실물이란, 점유자의 의사에 의하지 않고서 그의 점유를 떠난 물건이라고 합니다(김준호, 2017). 아주 단순하게 이해하자면, 원래 점유하고 있던 사람이 잃어버린 물건입니다. 그런데 우리는 이미 유실물의 습득에 대해서 잠깐 공부한 적이 있었습니다. 잠깐 복습을 하고 옵시다.

제249조(선의취득) 평온, 공연하게 동산을 양수한 자가 선의이며 과실없이 그 동산을 점유한 경우에는 양도인이 정당한 소유자가 아닌 때에도 즉시 그 동산의 소유권을 취득한다.

제250조(도품, 유실물에 대한 특례) 전조의 경우에 그 동산이 도품이나 유실물인 때에는 피해자 또는 유실자는 도난 또는 유실한 날로부터 2년내에 그 물건의 반환을 청구할 수 있다. 그러나 도품이나 유실물이 금전인 때에는 그러하지 아니하다.

제251조(도품, 유실물에 대한 특례) 양수인이 도품 또는 유실물을 경매나 공개시장에서 또는 동종류의 물건을 판매하는 상인에게서 선의로 매수한 때에는 피해자 또는 유실자는 양수인이 지급한 대가를 변상하고 그 물건의 반환을 청구할 수 있다.

기억나십니까? 우리 민법은 동산의 선의취득제도에 대하여 규정하고 있는데(제249조), 다만 선의취득한 동산이 도품이나 유실물인 경우에는 그 원래 소유자가 물건의 반환을 청구할 수 있도록 하고 있습니다(제250조). 예외적으로 양수인이 그 물건을 경매나 공개시장 등에서 선의로 매수한 경우에는 원래 소유자가 대가를 갚아 주고 물건을 되돌려 받을 수 있다(제251조)는 것이 우리가 공부했던 내용이었습니다.

"그러면 제250조와 제251조만으로 충분한 것 아닌가요? 제253조는 굳이 왜 만들어 둔 거죠?" 이렇게 생각하실 수 있습니다. 그러나 제253조는 그 자체로 고유한 의미가 있습니다. 살펴봅시다. 제250조와 제251조는 제249조를 전제로 해서 만들어진 규정입니다. 그리고 제249조는 법률행위에 의한 '양수'가 선의취득의 요건으로 들어가 있습니다.

반면 제253조는 '습득'이라고 되어 있지요? 거래행위가 개입하지 않습니다. 즉 제253조는 별개의 소유권 취득에 관한 요건을 규정한 조문이라고 할 수 있는 겁니다(문준조, 2011). 길가다가 유실물을 줍는 것과, 다른 사람으로부터 사들이는 것은 서로 다른 개념이지 않을까요?

*바로 위에 적시한 참고문헌은 2013년 민법 개정 이전에 나온 논문이어서 제253조에 명시된 기간이 1년이라고 작성되어 있습니다. 혹시 참고문헌을 읽으실 분들은 이 부분 감안하고 보시기 바랍니다.

이제 그럼 제253조를 찬찬히 뜯어봅시다. 이에 따르면, 유실물을 습득해서 소유권을 갖기 위해서는 다음의 요건을 충족하여야 합니다. 아래에서 하나씩 보도록 하겠습니다.

1. 점유자의 의사에 의하지 않고서 그 점유를 떠난 유실물에 해당하여야 한다.

유실물의 개념에 해당하는 물건이어야 합니다. 앞서 유실물의 의미에 대해서는 말씀드렸습니다. 점유의 이탈이라는 측면을 잊지 않으시면 됩니다.

다만, 우리나라의 경우 민법 제253조 외에도 「유실물법」이라고 해서 유실물에 대해 특별히 규율하고 있는 법률이 있는데요, 이 법률에서는 우리가 일반적으로 생각하는 '잃어버린 물건' 뿐 아니라 범죄자가 놓고 간 것으로 인정되는 물건, 착오로 점유한 물건 같은 것도 유실물에 준하는 것으로 보고 처리하고 있습니다. 더 자세히 알고 싶으신 분들은 국가법령정보센터(http://www.law.go.kr/)에서 유실물법을 찾아 읽어 보시기 바랍니다.

유실물법

제11조(장물의 습득) ① 범죄자가 놓고 간 것으로 인정되는 물건을 습득한 자는 신속히 그 물건을 경찰서에 제출하여야 한다.

② 제1항의 물건에 관하여는 법률에서 정하는 바에 따라 몰수할 것

을 제외하고는 이 법 및 「민법」 제253조를 준용한다. 다만, 공소권이 소멸되는 날부터 6개월간 환부(還付)받는 자가 없을 때에만 습득자가 그 소유권을 취득한다.
③ 범죄수사상 필요할 때에는 경찰서장은 공소권이 소멸되는 날까지 공고를 하지 아니할 수 있다.
④ 경찰서장은 제1항에 따라 제출된 습득물이 장물(贓物)이 아니라고 판단되는 상당한 이유가 있고, 재산적 가치가 없거나 타인이 버린 것이 분명하다고 인정될 때에는 이를 습득자에게 반환할 수 있다.
제12조(준유실물) 착오로 점유한 물건, 타인이 놓고 간 물건이나 일실(逸失)한 가축에 관하여는 이 법 및 「민법」 제253조를 준용한다. 다만, 착오로 점유한 물건에 대하여는 제3조의 비용과 제4조의 보상금을 청구할 수 없다.

2. 유실물을 습득하여야 한다.

'습득'이란 유실물에 대한 점유를 취득하는 것을 의미합니다. 중요한 것은 '습득'은 앞서 공부한 '선점'과는 다른 개념으로서 소유의 의사를 필요로 하지 않는다는 것입니다(박동진, 2022).

실제로 우리가 지난번 공부한 제252조를 보면, 무주물 선점의 요건에 관하여 '소유의 의사'라는 표현을 명확하게 넣어 두고 있습니다만, 오늘 공부하는 제253조에서는 그런 표현이 전혀 없습니다. 그냥 깜빡 빼먹은 게 아니라 의미가 있어서 표현을 다르게 한 것입니다.

3. 법률의 규정에 따라 공고한 후 6개월 동안 소유자가 권리를 주장하지 않아야 한다.

여기서 말하는 '법률의 규정'은 앞서 말씀드린 「유실물법」을 말합니다. 쉽게 표현하면, "유실물법이라는 것에 따라서 온 세상에 이 물건이 유실물이라는 것을 알린 후에도 원래 주인이 6개월이나 이 물건을 찾아가지 않으면, 주운 사람에게 소유권이 돌아간다"라는 겁니다. 처음 민법이 제정될 때에는 1년이었는데, 너무 길다는 말이 있어 2013년에 민법이 개정되면서 6개월로 줄어들었습니다.

위의 3가지 요건을 충족하게 되면, 유실물을 '습득'했던 사람은 그 물건의 소유권을 온전히 갖게 됩니다. 원래 주인이 찾아가지 않는 데에야 답이 없지요. 물론 위에서 말한 6개월이 되기 전에 원래 주인이 나타나게 되면 그건 당연히 원래 주인에게로 돌아가게 됩니다. 이러한 경우에는 대신 「유실물법」에서는 따로 보상금에 대해 규정하고 있습니다.

유실물법

제4조(보상금) 물건을 반환받는 자는 물건가액(物件價額)의 100분의 5 이상 100분의 20 이하의 범위에서 보상금(報償金)을 습득자에게 지급하여야 한다. 다만, 국가 · 지방자치단체와 그 밖에 대통령령으로 정하는 공공기관은 보상금을 청구할 수 없다.

흔히 “주운 물건의 주인을 되찾아 주면 보상금을 받을 수 있다”라는 소문(?)을 들어 보셨을 겁니다. 그러한 말의 근거가 되는 것이 바로 저 「유실물법」 제4조라고 할 수 있습니다. 그러니까 그 소문은 사실입니다. 유실물을 습득한 후 일주일 이내에 그 물건을 경찰서에 가져다주고(제9조), 그 이후 주인이 나타나 물건을 되찾아간 경우에는 그 물건 가액의 5~20% 범위 내에서 보상금을 받을 수 있습니다(제4조). 보상금의 금액은 원칙적으로 물건을 되찾은 사람이 자유롭게 정하게 됩니다. 금액이 마음에 안 들어서 당사자 간에 소송이 벌어지게 되면, 결국은 법원이 금액을 정하게 되겠지요(김진우, 2019).

*원래대로라면 유실물의 소유자와 습득하여 돌려준 사람 사이의 관계는 나중에 공부할 사무관리에 의하여 규율하여야 하지만, 유실물법에서는 특별히 보상청구권을 마련해 두고 있는 것입니다(박동진, 2022).

“네? 저는 예전에 지하철에서 주운 지갑을 주인 찾아 줬는데 한 푼도 못 받았는데요.”

그건 그렇습니다. 현실에서는 이러한 법 규정이 잘 지켜지는 경우가 많지 않습니다. 사실 부동산도 아니고 동산의 경우에는 그렇게 비싸지 않은 물건인 경우가 많아서(특히 요즘은 지갑에 현금을 많이 넣고 다니지 않지요), 가액의 5~20% 범위라고 하면 몇 푼 안 되는 예가 많습니다.

그런 상황에서 보상금을 안 준다고 다투고, 상대방이 거절하면 또

소송전을 벌여야 하는데 그걸로 법원까지 들락거릴 사람이 몇이나 되겠습니까. 물론 금액이 매우 크면 얘기가 다르지만요. 또, 물건을 되찾은 주인 스스로도 "원래 내 물건 내가 찾은 건데 무슨 보상금이야."라고 생각하는 경우가 많아서 그것도 문제이긴 합니다. 하지만 일단 법으로 정해진 것은 지키는 것이 좋겠죠?

오늘은 유실물의 습득에 대해 알아보았습니다. 내일은 매장물의 소유권 취득에 관하여 공부하도록 하겠습니다.

*참고문헌

김준호, 「민법강의(제23판)」, 법문사, 2017, 635면.

김용덕 편집대표, 「주석민법 물권1(제5판)」, 한국사법행정학회, 2019, 979면(김진우).

문준조, 「유실물 소유권 취득 시한 조정에 관한 연구」, 한국법제연구원, 2011, 18-19면.

박동진, 「물권법강의(제2판)」, 법문사, 2022, 226면.

제254조(매장물의 소유권취득)

매장물은 법률에 정한 바에 의하여 공고한 후 1년내에 그 소유자가 권리를 주장하지 아니하면 발견자가 그 소유권을 취득한다. 그러나 타인의 토지 기타 물건으로부터 발견한 매장물은 그 토지 기타 물건의 소유자와 발견자가 절반하여 취득한다.

오늘은 매장물에 대해 공부하겠습니다. 매장물은 쉽게 단어 그대로 생각하면 '땅에 묻혀 있는 물건'인데, 아주 틀린 뜻은 아닙니다. 제254조의 매장물이란, 땅이나 그 밖의 물건에 묻혀 있어서 외부에서 쉽게 발견할 수 없는 상태에 있고, 그리하여 현재 그 소유자가 누구인지가 분명하지 않은 물건을 말합니다(박동진, 2022).

단순하게만 생각하면 개념이 헷갈릴 수도 있습니다. 하지만 '매장물'은 우리가 지금껏 공부한 '무주물'이나 '유실물'과는 다른 개념이기 때문에 구별할 필요가 있습니다. 매장물은 소유자가 누구인지 분명하지 않은 물건이라고 했고요, 무주물은 현재의 주인이 아예 '없는' 물건이므로 다릅니다. 주인이 없는 것과 누구인지 모르는 것은 다르지요.

예를 들어 철수의 소유인 볼펜이 있다고 해봅시다. 철수의 소유물이니까 이건 무주물도 유실물도 매장물도 아닙니다. 그런데 철수가 이 볼펜의 소유권 포기를 선언하고, 버렸습니다. 그럼 이 볼펜은 이제 무주물입니다. 현재의 주인이 없기 때문입니다. 따라서 우리가 공부한 제252조제1항에 따라 소유의 의사로 이 볼펜을 점유하는 사람은 소유권을 취득하게 됩니다.

하지만 철수가 소유권을 포기할 생각이 없는 상태에서 볼펜을 단지 주머니에서 흘려 바닥에 떨어뜨렸다면 이는 유실물입니다. 따라서 어제 공부한 제253조에 따라 유실물 습득의 요건을 충족한 사람은 그 볼펜의 소유권을 얻을 수 있습니다(혹은, 경찰서를 통해 철수에게 볼펜을 되찾아 주고 보상금을 받을 수도 있습니다). 반면에, 땅을 깊숙이 팠는데 누구의 것인지도 모를 볼펜이 나왔다면 그것이 바로 매장물입니다.

매장물은 무주물과 마찬가지로 동산일 수도 있고, 부동산일 수도 있습니다(다만, 무주물의 경우 동산인지 부동산인지에 따라 소유권 취득의 문제가 완전히 달라졌다는 점을 기억하세요). 물론 현실적으로는 땅에 파묻힌 건물(!)을 발견하는 것은 흔치 않은 일이기 때문에, 대부분 매장물은 동산인 경우가 많습니다.

제254조 본문에 따르면, 이러한 매장물을 '발견'한 사람은 법률에 정한 바에 의하여 공고한 후에도 1년이 지나도록 원래 주인이 나타나지 않으면 그 매장물의 소유권을 취득할 수 있습니다. 중요한 것은 여기서 '발견'이라고 하고 있지 점유라고 하고 있지는 않다는 점입니다. 굳이 점유를 안 해도 상관은 없습니다. 발견만 하면 됩니다. 그리고 여기서 말하는 '법률'은 「유실물법」 입니다.

"아니, 유실물과 매장물은 다르다고 해놓고 「유실물법」을 적용하면 어떡합니까?"라고 따지실 수도 있습니다. 유실물과 매장물이 다른 것은 맞는데요, 그런데도 굳이 이 법률을 적용하는 것은 「유실물법」 제13조가 매장물에 관하여는 거의 「유실물법」을 준용하도록 규정하고 있기 때문입니다.

유실물법

제13조(매장물) ① 매장물(埋藏物)에 관하여는 제10조를 제외하고는 이 법을 준용한다.

② 매장물이 「민법」 제255조에서 정하는 물건인 경우 국가는 매장물을 발견한 자와 매장물이 발견된 토지의 소유자에게 통지하여 그 가액에 상당한 금액을 반으로 나누어 국고(國庫)에서 각자에게 지급하여야 한다. 다만, 매장물을 발견한 자와 매장물이 발견된 토지의 소유자가 같을 때에는 그 전액을 지급하여야 한다.

③ 제2항의 금액에 불복하는 자는 그 통지를 받은 날부터 6개월 이내에 민사소송을 제기할 수 있다.

그런데 제254조 단서는 조금 특별한 내용을 다루고 있습니다. 만약에 그 매장물을 발견한 땅(또는 물건)이 다른 사람의 소유인 경우에는 그 소유자와 매장물의 발견자가 반반씩 나누어서 취득하게 된다는 겁니다. 사실 내 소유의 땅을 남이 마구 파헤치고, 거기서 발견된 보물을 "내가 매장물 발견을 했다!"라고 하면서 온전히 자기 소유로 해버리는 것은 좀 문제가 있지요.

매장물과 관련하여서는 재미있는 사건이 있었습니다. 바로 대구 동화사 대웅전 뒤뜰에 수십억 원 상당의 금괴가 묻혀 있다는 소문이 퍼졌던 사건이지요. 아래 기사를 한번 읽어 보시기 바랍니다.

> 동화사 금괴 소동은 지난 2008년 12월 탈북한 새터민 김모(45)씨가 동화사 대웅전 뒤뜰에 금괴 40㎏이 묻혀 있다며 2011년 12월 대한불교조계종 제9교구 동화사에 발굴 협조 요청을 하면서 시작됐다. 당시 김씨는 자신의 양아버지가 60여년 전인 한국전쟁 당시 피난을 떠나면서 동화사 대웅전 뒤뜰에 금괴를 묻었다고 주장했고 이같은 소설 같은 얘기는 언론을 통해 알려지면서 '금괴 소동'은 세간의 관심을 모았다. (경북일보)

실제로 금괴가 묻혀 있는지 아닌지 저는 모릅니다. 저 논란 이후 여러 가지 어른의 사정(?)으로 인해서 대웅전 바닥은 아직도 아무도 파보지 않은 상태라고 합니다. 구체적인 내용이 궁금하신 분들은 인터넷 검색을 해보시길 추천드립니다. 만약 진짜로 금괴가 나타난다면 여러 가지 법적인 문제가 얽힐 수 있습니다.

정말로 그 금괴가 김모 씨의 주장대로 자신의 소유물이라면 그 사람이 가져갈 것이지만, 누구의 소유물인지 불분명한 매장물이라면 민법 제254조에 따른 절차를 거쳐, 원래 소유자가 나타나지 않는다

는 가정 하에 동화사와 김모 씨가 반씩 가져가게 될 것입니다. 물론, 이 사건은 아주 예전에 잊힌 건이므로 이제 와서 땅을 파는 일은 없을 것 같긴 하지만요.

오늘은 매장물 발견에 대해 알아보았습니다. 내일은 문화재의 국유 문제에 대해서 알아보겠습니다.

*참고문헌

박동진, 「물권법강의(제2판)」, 법문사, 2022, 226면.

이기동, "대구 동화사 금괴 소동... 그 이후", 경북일보, 2015. 3. 13.자, https://www.kyongbuk.co.kr/news/articleView.html?idxno=916477, 2024. 1. 4. 확인.

제255조(「국가유산기본법」 제3조에 따른 국가유산의 국유)

①학술, 기예 또는 고고의 중요한 재료가 되는 물건에 대하여는 제252조제1항 및 전2조의 규정에 의하지 아니하고 국유로 한다.
②전항의 경우에 습득자, 발견자 및 매장물이 발견된 토지 기타 물건의 소유자는 국가에 대하여 적당한 보상을 청구할 수 있다.

우리는 지난번 제252조를 공부하면서 무주물 선점에 대하여 알아본 적이 있었습니다. 그런데 오늘 공부하는 제255조는 이 조문에 대한 '예외'를 규정하고 있습니다. 제1항에 따르면, 학술, 기예 또는 고고(考古)의 중요한 재료가 되는 물건인 경우에는 제252조제1항, 제253조, 제254조에도 불구하고 국가의 소유로 한다고 합니다. 쉽게 말해 무주물 선점(동산인 경우), 유실물 습득, 매장물 발견의 법리에 대한 예외가 된다는 겁니다.

참고로, 제255조의 조문 제목은 원래 '문화재의 국유'였으나, 2023년 4월 27일 국회에서 「국가유산기본법」이 통과되면서 해당 제정법안의 부칙으로 개정되었습니다. 조문의 내용이 크게 바뀐 것은 없고, 조의 제목이 "「국가유산기본법」 제3조에 따른 국가유산의 국유"로 바뀌었습니다(2024년 5월 17일부터 시행). 동법 제3조에서는, 국가유산을 인위적이거나 자연적으로 형성된 국가적 · 민족적 또는 세계적 유산으로서 역사적 · 예술적 · 학술적 또는 경관적 가치가 큰 문화유산 · 자연유산 · 무형유산이라고 정의하고 있습니

다. 이와 같은 국가유산의 경우, 민법 제255조제1항에 따라 처음부터 국유가 됩니다.

국가유산기본법
제3조(정의) 이 법에서 사용하는 용어의 뜻은 다음과 같다.
1. "국가유산"이란 인위적이거나 자연적으로 형성된 국가적 · 민족적 또는 세계적 유산으로서 역사적 · 예술적 · 학술적 또는 경관적 가치가 큰 문화유산 · 자연유산 · 무형유산을 말한다.

다만, 국가의 소유로 하게 되면 그 물건의 습득자 등은 조금 억울할 수도 있기 때문에, 국가가 적당한 보상을 하도록 정하고 있는 것입니다(제255조제2항).

"아니, 문화재는 당연히 국유 아닙니까? 이런 규정이 굳이 필요합니까?"

필요합니다. 문화재는 당연히 국유 아닙니다. 우리가 생각하는 것보다 많은 문화재가 개인의 소유물입니다.

예를 들어 옛날부터 우리 가문에 대대로 전해 내려오는 물건이 있다고 하면, 그것은 당연히 내 소유의 물건입니다. 국가에서 "야, 그건 귀중한 문화재이니까 당연히 국가 것이야."라고 하면서 빼앗아 갈 수는 없습니다. 물론 우리나라는 「문화재보호법」을 두고 있고, 개인 소유의 문화재라고 하더라도 국가에서 관심 있게 지켜보고 관리하고는 있습니다. 하지만 관심 있게 본다는 게 소유권을 뺏어 온다는 것은 의미하는 건 아니지요.

실제로 매장문화재를 특별히 보호하기 위한 법률인 「매장문화재 보호 및 조사에 관한 법률」에서는 아래와 같은 규정을 두어 설령 땅에 묻혀 있는 문화재더라도 진정한 소유자를 찾아 주도록 하고 있습니다(국가유산기본법 제정에 따라 조문 제목 변경).

매장문화재 보호 및 조사에 관한 법률

제18조(발견신고된 국가유산의 처리 방법) ① 문화재청장은 제17조에 따른 발견신고가 있으면 해당 국가유산의 소유자가 밝혀진 경우에는 그 발견자가 소유자에게 반환하게 하고, 소유자가 밝혀지지 아니한 경우에는 「유실물법」 제13조에서 준용하는 같은 법 제1조제1항에도 불구하고 관할 경찰서장 또는 자치경찰단을 설치한 제주특별자치도지사에게 이를 알려야 한다. 〈개정 2023. 8. 8.〉

② 경찰서장 또는 자치경찰단을 설치한 제주특별자치도지사는 제1항의 통지를 받으면 지체 없이 해당 국가유산에 관하여 「유실물법」 제13조에서 준용하는 같은 법 제1조제2항에 따라 공고하여야 한다. 〈개정 2023. 8. 8.〉

예전에 훈민정음 해례본 상주본을 놓고 치열한 법정 공방이 벌어져 국민들의 관심을 모은 적이 있었습니다. 기사에 잘 정리된 부분이 있어 일부 발췌하였습니다.

고서적 수집가인 배씨는 지난 2008년 자신이 상주본을 갖고 있다고 세상에 처음 알렸다. 하지만 골동품 판매업자 조모씨(2012년 사망)가 소유권을 주장하면서부터 긴 법적 공방과 소유권을 둘러싼 논쟁은 시작됐다. 대법원은 2011년 5월 상주본의 소유권이 조씨에게 있다고 판결했지만 배씨는 상주본 인도를 거부했다.
배씨는 이 때문에 문화재보호법 위반으로 구속(2014년 대법원 무혐의 판결)되기도 했다. 정부는 조씨가 사망하기 전 상주본을 서류상으로 문화재청에 기증했다는 점을 들어 배씨에게 상주본 소유권 인도를 요구하고 있으나 배씨는 이를 받아들이지 않고 있다.
지난 7월 대법원은 상주본 소유권이 문화재청에 있다고 판결했으나 배씨는 여전히 상주본 소유권을 주장하면서 "국가가 가져가려면 상주본 가치의 10분의 1인 1000억원을 내라"는 등의 요구를 하고 있다. (뉴스1)

상주본 같은 경우에는 개인의 소유권이 먼저 인정되는 케이스여서, 사실 애초부터 (우리가 지금껏 공부했던) 무주물이나 매장물의 법리가 적용되는 문제는 아니었습니다. 문화재청이 대법원에서 승리했고, 상주본의 소유권이 문화재청에 있는 것으로 되었기는 합니다. 그러나 그건 민법 제255조에 따라 국유로 되었기 때문이 아니라 위 기사에서의 '조 씨'가 상주본을 (돌아가시기 전) 문화재청에 기증했다는 점이 인정되었기 때문입니다. 결국엔 오늘 공부한 제255조와는 직접 관련 있는 사건은 아니지만 그래도 흥미로운 사건이라 한 번쯤 눈여겨 볼만 합니다.

오늘은 문화재의 경우에 적용하는 특칙에 관하여 알아보았습니다. 다음 권부터는 '부합'의 개념에 대해 공부하도록 하겠습니다.

*참고문헌

뉴스1, "배익기씨 "훈민정음 상주본은 '개인 재산'"…국가 반환 요구 거절", 2019. 10. 9.자,

http://www.donga.com/news/article/all/20191009/97796501/1, 2024. 1. 4. 확인.